P9-CDT-848

Wiedersehen in Barsaloi

From:

From the desk of
Ursula Kam

Ms. Ursula K. Kam
15040 77th Rd.
Flushing, NY 11367

ASPCA

To:

Inge Srinivasan

40 Windsor Drive

Princeton Jct.,
New Jersey 08550

CORINNE
HOFMANN

Wiedersehen in Barsaloi

Weltbild

Besuchen Sie uns im Internet:
www.weltbild.de

Genehmigte Lizenzausgabe
für Verlagsgruppe Weltbild GmbH,
Steinerne Furt, 86167 Augsburg

Umschlaggestaltung: Atelier Seidel, Neuötting
Umschlagmotive: Klaus Kamphausen/A1Verlag;
Masterfile, Düsseldorf (© Jeremy Woodhouse)
Fotos im Innenteil: Alle Fotos A1Verlag, Klaus Kamphausen/A1 Verlag
(Seite 74, Seite 79, Seite 80 oben, Seite 165, Seite 166 unten, Seite 168 unten,
Seite 202 unten, Seite 203 unten, Seite 205, Seite 206, Seite 208)
Gesamtherstellung: Bagel Roto-Offset GmbH & Co.KG,
Gewerbegebiet Sachsen-Anhalt Süd, Kirchweg, 06721 Schleinitz
Printed in Germany
ISBN 3-8289-8642-0

2009 2008 2007 2006
Die letzte Jahreszahl gibt die aktuelle Lizenzausgabe an.

Für meine afrikanische Familie

Endlich

Es ist so weit. Fast vierzehn Jahre sind seit meiner Flucht aus Nairobi mit meiner damals eineinhalbjährigen Tochter Napirai vergangen, und jetzt sitze ich im Flugzeug, das mich erstmals wieder nach Kenia bringen wird. Meine Gefühle sind in Aufruhr: Mal zieht und kribbelt es vor freudiger Erregung im Bauch, mal lässt eine seltsame Beklemmung meine Hände feucht und klebrig werden. Vor Aufregung könnte ich weinen und im nächsten Moment loslachen.

Bange Fragen schwirren in meinem Kopf herum. Wie werde ich mein einstiges Zuhause vorfinden? Was ist geblieben? Was hat sich verändert? Ist etwa der Fortschritt und der damit zum Teil verbundene hektische Lebensrhythmus schon so weit nach Kenia vorgedrungen, dass ich die Menschen und das Dörfchen Barsaloi im Norden Kenias nicht wiedererkennen werde? Vor vierzehn Jahren gab es dort nur die Mission, etwa acht Holzhäuschen, unseren gemauerten Shop und einige Manyattas, die traditionellen runden und mit Kuhdung verputzten Behausungen der Samburu.

Neben mir im Flugzeug sitzen mein Verleger Albert Völkmann, der mich als »väterlicher Freund« bei dieser Reise begleitet, und Klaus Kamphausen, der unsere Erlebnisse fotografisch und filmisch dokumentieren wird. Ich bin erleichtert und dankbar, dass ich dieses Abenteuer nicht allein antreten muss.

Während des Fluges stelle ich mir immer wieder die Menschen vor, die ich so lange nicht mehr gesehen habe. Meine Schwiegermama, die ich bis heute sehr verehre, meinen damaligen Ehemann Lketinga, James, seinen jüngeren Bruder,

Saguna und viele mehr. Auch Pater Giuliani, der mir mehr als einmal das Leben gerettet hat, wollen wir in seiner neuen Mission besuchen, sofern wir diese finden können. Ich hoffe, dass alles gut geht und ich nicht aus irgendwelchen Gründen schon am Flughafen in Nairobi festhängen werde.

Endlich döse ich ein. Als ich nach ein paar Stunden die Augen wieder öffne, sehe ich draußen einen orangeroten leuchtenden Streifen am Himmel. Genau dieses Bild einer Morgenröte sah ich nach dem äußerst anstrengenden Aufstieg auf den Kilimandscharo vor zwei Jahren. Nur war ich damals am Stella Point in einer Höhe von ungefähr 5.750 Metern fast am Ende meiner Kräfte, und jetzt sitze ich lediglich etwas steif und unbequem in meinem Flugzeugsitz. Während mein Blick die in der Morgendämmerung liegenden kahlen Bergketten unter mir abtastet, döse ich erneut ein.

Eine Stunde vor der Landung wird mir für einen kurzen Moment fast schlecht, so sehr schnürt mir die Aufregung den Brustkorb zu, und ich schicke ein leises Gebet zum Himmel. Durch das kleine Fenster sehe ich schon die endlos weite Steppe Kenias. Ab und zu kann ich von oben einige runde Krals erkennen, Ansammlungen verschiedener Manyattas, die mit einem kreisförmigen Dornengestrüpp vor wilden Tieren geschützt werden.

Überfliegen wir vielleicht auch Barsaloi? Wie viele Male saß ich vor unserer Manyatta und schaute mit Mama zum Himmel. Wenn wir ein Flugzeug sahen, wollte sie wissen, wie diese Eisenvögel, wie sie sie nannte, wohl da oben ohne Straße und ohne Licht ihren Weg finden können. Schaut sie vielleicht auch jetzt wieder hoch, da sie weiß, dass ich komme?

Am liebsten würde ich gleich hinausspringen. Gedankenverloren beobachte ich ausgetrocknete Flussbette, die sich durch die staubige rote Erde schlängeln und deren Ufer trotz Trockenheit immer ein grüner Baumgürtel säumt. Kurz darauf beginnt das Flugzeug zu sinken, zieht eine letzte Schleife und setzt zur Landung in Nairobi an.

Vorgeschichte

Bis es so weit war, dass ich diese Reise antreten konnte, fand ein monatelanger innerer Kampf statt, in dem ich mich immer wieder fragte: Ist es richtig, was ich vorhabe? Gleichzeitig ereigneten und veränderten sich so viele Dinge in meinem Leben, dass es mir im Nachhinein wie eine Vorherbestimmung vorkommt.

In der Vergangenheit hatte ich wiederholt einen Anlauf unternommen und bei der kenianischen Botschaft in der Schweiz sowie bei der deutschen Botschaft in Nairobi telefonisch nachgefragt, was zu unternehmen sei, damit die in der Schweiz durchgeführte Scheidung von meinem Samburu-Ehemann auch in Kenia anerkannt wird. Die Antwort war jedes Mal die gleiche: dass ich einen kenianischen Anwalt beauftragen müsste und auf jeden Fall das Einverständnis meines Ehemannes nötig wäre. Doch Lketinga lebt nun wieder in Nordkenia, Hunderte von Kilometern von Nairobi entfernt, und ist seit Jahren mit einer jungen Frau seines Stammes verheiratet. Ihn in dieser Angelegenheit in Nairobi vorzuladen, ist ein Ding der Unmöglichkeit, zumal er sicherlich auch nicht einsehen kann, wofür dies gut sein soll. Sein Leben ist so weit in Ordnung und Scheidungen sind bei den Samburu unbekannt, weil die Männer ja mehrere Frauen heiraten können.

Da ich als Ehefrau beim Verlassen Kenias von Lketinga erneut eine Ausreisebewilligung hätte bekommen müssen, ließ ich alles, wie es war, mit dem Bewusstsein, dieses Land vorläufig nicht mehr betreten zu können, obwohl ich viel an meine Familie dachte, vor allem an meine Schwiegermama, die Großmutter meiner Tochter. Wir würden weitersehen, wenn Napirai nach ihrer Volljährigkeit in ein paar Jahren ihren Vater besuchen möchte, und würden dann schon eine Lösung finden, beruhigte ich mich selber und verstaute die europäischen Scheidungspapiere erneut in einer Schublade.

Im Jahr 2003 bin ich den ganzen Herbst mit meinem Buch »Zurück aus Afrika« auf Lesereise, was mir großen Spaß bereitet. Auch laufen nun die Arbeiten für die Verfilmung meines ersten Buches auf Hochtouren und es bleibt nicht aus, dass ich zu den Besprechungen des Drehbuches öfter nach München fahre. Es ist schön, dass ich meine Einwände, Wünsche oder Bedenken einbringen kann, und so entsteht eine enge Zusammenarbeit, die meine oft gemischten Gefühle, die sich zwischendurch einschleichen, etwas beruhigen.

Dennoch ist es nicht einfach, mein gelebtes Leben nun mit anderen Namen und teilweise in gekürzter oder etwas abgeänderter Version lesen und durchleben zu müssen. Bei manchen Drehbuchszenen treibt es mir Tränen in die Augen und ich spüre, wie mich vieles wieder einholt. Gleichzeitig bin ich auch neugierig und stolz darauf, dass ein wichtiger Teil meines Lebens bald in den Kinos gezeigt werden soll. Napirai ist natürlich noch sehr skeptisch, was ich gut verstehen kann, da sie sich nicht mehr an diese Zeit erinnert und dadurch Gefahr läuft, den Film mit der Wirklichkeit zu verwechseln. Ich bete immer wieder, dass alles gut gehen wird und wir uns nie zu schämen brauchen.

Durch die Zusammenarbeit mit den Filmleuten entstehen einige Kontakte in Kenia. So fasse ich im Dezember spontan den Entschluss, die Scheidungspapiere wieder aus der Schublade zu holen und an einen neuen Bekannten in Nairobi zu faxen, mit der Bitte, meinen Fall durch einen Anwalt vor Ort abklären zu lassen. Wenn es je eine unkomplizierte Möglichkeit für die Anerkennung meiner Scheidung in Kenia geben sollte, dann jetzt, wo wir sachkundige Leute vor Ort kennen. Verlieren kann ich nichts und so warte ich die Antwort einfach ab.

Die Lesetour nimmt mich auch zu Beginn des neuen Jahres noch sehr in Anspruch. Es ist eine schöne Aufgabe, vor

Hunderten von erwartungsvollen Menschen über meine Erlebnisse zu erzählen, um dann in fröhliche und erstaunte Gesichter zu sehen. Es macht mich glücklich zu hören, wie vielen Menschen ich nicht nur Lesevergnügen bereite, sondern auch Kraft und Mut für ihr eigenes Leben vermitteln kann. Mittlerweile kommt es mir fast wie eine Berufung vor.

Weil ich davon so erfüllt bin, realisiere ich zu spät, dass sich zu Hause eine private Katastrophe ereignet hat. Mein Lebensgefährte hat sich ganz leise aus unserer Beziehung geschlichen. Als ich es endlich bemerke, ist es schon zu spät. Ich bin tief traurig und gleichzeitig wütend. Mehr kann, will und darf ich dazu nicht äußern. Wieder ist etwas zerbrochen, was ich so nicht erwartet hätte. Nun weiß ich aber auch, dass bei aller Liebe meine inzwischen weltweit bekannte Vergangenheit für einen Mann an meiner Seite nicht einfach zu ertragen ist. Nach dem Spielfilm wird dies wahrscheinlich noch problematischer.

Dennoch möchte ich meinen Weg nicht mehr verlassen. Ich liebe meinen Beruf, der mir die Möglichkeit bietet, sowohl hier als auch in Afrika zu helfen. Meine Bücher tragen bei vielen Menschen zu einem besseren Verständnis zwischen Weißen und Schwarzen bei, wie ich zahllosen Leserzuschriften entnehmen kann. Gibt es eine schönere Aufgabe, gerade weil ich selbst einem Mischlingskind das Leben schenken durfte? Für mich steht fest: Ich werde weiterhin alles in meiner Macht Stehende tun, um mit Energie, Kraft und meinem Bekanntheitsgrad zu helfen. Dieses Wissen hilft mir bei der Aufarbeitung meiner Trauer um die zerbrochene Beziehung zu meinem Lebenspartner.

Ich stürze mich noch mehr in die Arbeit, die Freizeit verbringe ich mit meiner Tochter oder bei langen Wanderungen in den von mir geliebten Bergen.

Einige Wochen später bekomme ich den Bescheid aus Nairobi, dass meine europäischen Scheidungspapiere auch in Kenia rechtsgültig seien und dass ich vor vierzehn Jahren meine Tochter nach kenianischem Recht nicht entführt habe, da ihr Vater damals die Einwilligung zur Ausreise gab, auch wenn dies natürlich aus seiner Sicht nicht für immer gedacht war. Bei dieser Neuigkeit spüre ich eine große Befreiung und Erleichterung.

Nachts dagegen verarbeite ich nach Wochen noch die zerbrochene Beziehung. Ich schlafe schlecht und träume viel. Einmal schrecke ich mitten in der Nacht hoch und sitze total verschwitzt und kerzengerade im Bett mit der Eingebung, dass ich nach Kenia reisen muss, wenn ich meine Schwiegermama noch einmal lebend sehen möchte. Verstört und verwirrt finde ich für den Rest der Nacht keinen Schlaf mehr.

Der Gedanke lässt mich nicht mehr los. In den kommenden Tagen überlege ich fieberhaft, ob ich wirklich nach Kenia reisen soll. Was wird Napirai dazu sagen? Was meine Mutter? Und vor allem, was wird meine ganze afrikanische Familie einschließlich Lketinga darüber denken?

Die Idee frisst mich langsam auf und meine Stimmung wechselt zwischen Euphorie und Aggression. Wäre ich noch mit meinem Partner zusammen, wäre ich nicht auf die Idee gekommen, jetzt nach Kenia zurückzukehren. Seltsam! Vielleicht ist das Leben schon vorprogrammiert und alles musste so kommen.

Erneut reise ich nach München und treffe die Regisseurin des Films »Die weiße Massai«, die in der Zwischenzeit in Kenia war und unter anderem auch meine Familie in Barsaloi besucht hat. Sie erzählt, dass sie nach anfänglichem Misstrauen freundlich aufgenommen wurde und sich nach einigem Zureden sogar meine Schwiegermutter blicken ließ. Mama sei immer noch eine stattliche, aber alte Frau. Beim Abschied gab sie ihr eine Botschaft für mich mit: »Corinne soll neunzig Jahre alt werden, so wie ich. Sie soll wissen, dass ich sie von ganzem Herzen liebe, dass ich ihr alles Gute wünsche, dass sie jederzeit willkommen ist, und dass ich sie gerne noch einmal sehen möchte, bevor ich sterbe.«

Als ich diese Worte höre, schießen mir Tränen in die Augen. Ich spüre eine intensive Verbundenheit mit ihr und im gleichen Moment steht mein Entschluss fest: Ich muss meine Schwiegermama noch einmal sehen und in den Arm nehmen – ich gehe nach Afrika!

Im Verlag besprechen wir die neue Entwicklung. Albert, mein Verleger, der schon vor sechs Jahren meiner Familie das erste Buch »Die weiße Massai« bei einem Besuch überbrachte, erklärt sich bereit, mich zu begleiten. »Dann kann ich auch Little Albert kennen lernen«, meint er vergnügt. James, der Bruder meines Ex-Ehemannes, hat nämlich seinen ersten Sohn nach ihm benannt, um sich auf diese Weise für die langjährige Unterstützung des Verlages zu bedanken.

Nun teile ich unser Vorhaben in einem Brief an James mit. Er ist das Verbindungsglied zur Familie, weil nur er schreiben und lesen kann. Gespannt und neugierig warte ich auf eine Antwort. Im Mai erhalte ich endlich den ersehnten Brief, in dem er seine große Freude und die der ganzen Familie kund tut. Er schreibt auch, dass Mama immer gefühlt habe, dass sie mich noch einmal sehen wird, solange sie lebe. Sie freue sich sehr und auch Lketinga werde mir keine Probleme bereiten. Alle Menschen, denen er die Neuigkeit erzähle, glaubten es kaum und fragten zweifelnd: Really, Corinne will come once again to our place in Kenia?

Als ich meiner Tochter diesen schönen Brief vorlese, meint sie spontan: »Ja, Mama, ich glaube, du musst da wirklich nochmal hin.« Das sind die erlösenden Worte, die ich mir gewünscht und die ich gebraucht habe. Ich liebe meine Tochter sehr und hoffe, auch für sie mit vielen neuen Eindrücken, Geschichten und Fotos nach Hause zurückkehren zu können.

Vier Monate hatte ich innerlich mit mir gerungen, ob diese Rückkehr richtig sei. Ob wir alle dies gut überstehen würden? Doch nun bin ich sicher, dass alles, was seit Beginn des Jahres geschehen ist, nur der Weg war, um das Ziel – das Wiedersehen – zu erreichen.

Nairobi

Beim Verlassen des Flugzeuges schlägt mir keine feuchte Tropenluft wie damals in Mombasa entgegen, es ist eher trocken und warm. Wir reihen uns in die wartende Kolonne bei der Passkontrolle ein und ich werde mein mulmiges Gefühl einfach nicht los. Meine Gedanken kehren kurz zurück, wie ich vor vierzehn Jahren an dieser Kontrolle mit meiner Tochter beinahe gescheitert wäre. Damals schwitzte ich Blut und Wasser, als ich die vielen Fragen beantworten musste: Warum reisen Sie ohne den Vater Ihrer Tochter aus? Wo ist Ihr Ehemann? Wie lange bleiben Sie außer Landes? Warum hat Ihre Tochter einen deutschen Kinderausweis, wenn sie in Kenia geboren ist und der Vater ein Samburu ist? Ist das wirklich Ihre Tochter? Fragen über Fragen, die mich damals fast um den Verstand gebracht hätten. Nur mit viel Glück konnte ich schließlich ins Flugzeug steigen. Und nun reiche ich dem Beamten erneut meinen Pass. Obwohl er freundlich wirkt, klopft mein Herz heftig.

Diesmal ist allerdings meine Tochter nicht dabei. Es erschien mir zu gefährlich sie mitzunehmen, da sie nicht volljährig ist. Nach kenianischem Recht gehört das Kind dem Vater und nach dem Stammesrecht meines Ex-Mannes gehört es sogar der Großmutter, also seiner Mutter. Aus Sicht der Samburu ist Napirai mit ihren fünfzehn Jahren gerade im besten heiratsfähigen Alter. Die Mädchen werden auch heute noch sehr jung verheiratet und durch die Genitalbeschneidung fürchterlich verstümmelt. Das Risiko, dass wir uns unter Umständen mit derartigen Ansprüchen auseinandersetzen müssten, möchte ich einfach nicht eingehen. Außerdem verspürt Napirai noch nicht den Wunsch, nach Kenia zu reisen. Natürlich erkundigt sie sich immer wieder nach ihrem Vater und unserer Geschichte, aber bislang ist der Respekt vor dem für sie Unbekannten zu groß.

Der Beamte nimmt meinen Pass und hält ihn vor ein Computerlesegerät. Offensichtlich hat auch hier der Fortschritt Einzug gehalten. Nach weiteren fünf Sekunden erhalte ich einen Stempel und kann erleichtert mit meinen beiden Begleitern einreisen.

Für die erste Nacht beziehen wir im Norfolk Hotel unsere Zimmer. Dieses Hotel kann bereits auf eine lange Geschichte zurückblicken. Es wurde 1904 im Landhausstil erbaut und war in der Kolonialzeit der Treffpunkt von reichen weißen Siedlern, Geschäftsleuten und Großwildjägern. Das Hotel muss in diesem wilden und unerschlossenen Land wie eine Insel gewesen sein. Überall hängen alte Bilder und Fotos von Berühmtheiten wie zum Beispiel Roosevelt oder Hemingway an den Wänden. Eine tropische Vegetation prägt das Bild der parkähnlichen Anlage, die mit alten Pferdekutschen dekoriert ist. Zum ersten Mal bin ich in Nairobi in solch einem noblen Hotel und darf nicht daran denken, was es kosten wird. Sicher ist eine Nacht so teuer wie so mancher Monatslohn eines Angestellten.

Wenn ich früher nach Nairobi musste, was mir jedes Mal ein Gräuel war, verkehrte ich immer in der River Road. Das war und ist bis heute natürlich nicht die beste Adresse, dafür bezahlte ich damals für eine Übernachtung in einem düsteren Lodging nur vier bis fünf Franken. Wenn man mit einem Samburu-Krieger verheiratet ist und gezwungenermaßen das Geld im Land verdienen muss, kommt es einem einfach nicht in den Sinn, das hart verdiente Geld so einfach für einen teuren Schlafplatz auszugeben.

Doch diesmal reise ich ja mit europäischen Begleitern und für meinen Verleger sollte die Reise auch einigermaßen angenehm werden. Schließlich gehört er nicht mehr zu den Zwanzigjährigen und hat sich auch nicht unsterblich in eine Massai-Frau verliebt.

Abends dinieren wir draußen auf der Terrasse. Hinter uns befindet sich die Bar, an die sich früher die Herren mit ihren Zigarren zurückzogen, während den Frauen der Zutritt verwehrt war. Für mich ist dies alles gefühlsmäßig noch nicht Afrika, obwohl sich heute mehr dunkelhäutige Geschäftsleute hier zum Essen treffen als wohl noch vor ein paar Jahren. Auch empfinde ich, nachdem meine erste Neugier gestillt ist, alles eine Spur zu elegant und es zieht mich so schnell wie möglich weiter. So bin ich nicht traurig, als wir am folgenden Tag dem Türsteher in seinem dunkelgrünen Smoking die in weiße Handschuhe gehüllte Hand drücken und uns lachend verabschieden.

Auf dem Weg ins Samburuland

Wir nehmen die zwei gemieteten Land Cruiser einschließlich der Fahrer in Empfang und endlich geht es los in Richtung »alte Heimat«. Unsere zwei Wagen kämpfen sich durch das Verkehrschaos in Nairobi. Links und rechts drängen sich Autos, Lastwagen, Kleinbusse, Matatus genannt, und stinkende, bunte Fernbusse vorbei. Die schwarzen Abgaswolken nehmen mir die Luft zum Atmen. Dafür fasziniert es mich aufs Neue, wie jeder und jede versucht, irgendwie ein paar Schillinge zu verdienen. Da gibt es die Zeitungsverkäufer, die am Straßenrand warten und, sobald die Autos in der Kolonne stehen, herbeieilen, um ihre Zeitungen feilzubieten. Ein anderer drängt sich zwischen den Autos hindurch und möchte seine Mützen, Taschenlampen und Uhren loswerden. Mir fällt eine rote Kopfbedeckung auf und so kurble ich das Fenster herunter, um den Preis auszuhandeln. Viel Zeit bleibt den Verkäufern nie. Wir einigen uns schnell, aber da er kein Wechselgeld hat und die Kolonne hinter uns ungeduldig drängt, fahren wir weiter. Doch so schnell lässt er sich von dem Geschäft nicht abbringen. Ich schaue in den Rückspiegel und sehe, wie der junge Mann in Riesenschritten unserem Wagen hinterherhechtet. Wir sind sicher schon 400 Meter gefahren, als sich nach einem Kreisverkehr die Möglichkeit ergibt, kurz anzuhalten. Kaum steht der Wagen, ist schon der Verkäufer mit einem strahlenden Lächeln neben uns. Staunend kaufe ich die Mütze und auch unser Fahrer erwirbt eine. Jetzt wird das Lächeln des Händlers noch breiter. Ich wünschte mir, viele Verkäufer in unserem noblen Land könnten diese Freude sehen. Bei uns steht wohl keiner zwischen stinkenden Abgasen und rennt der Kundschaft hinterher! Und um von einigen Verkäufern oder Verkäuferinnen ein freundliches Lächeln zu erhalten, muss man sich oft selbst etwas Originelles einfallen lassen.

Hinter kleinen Bretterbuden oder auf dem Boden sitzen Händler und versuchen, kleine Mengen von Tomaten, Zwiebeln, Karotten oder Bananen zu verkaufen. Das Leben ist bunt in Nairobi und trotz der vielen Menschen wirkt es auf mich nicht so hektisch wie in einer europäischen Stadt.

Langsam verlassen wir den Stadtkern und nun erkenne ich den so genannten Fortschritt deutlicher. Überall befinden sich neue Supermärkte und Firmen. Werbetafeln für Handys, TV-Geräte und Kino-Filme prangen am Highway. Direkt am Straßenrand werden Betten und Schränke ausgestellt, zwischen denen einzelne Ziegen umherstapfen, die statt Gras Bananenschalen kauen oder im Müll schnuppern. Lachende Kinder in blauen Schuluniformen laufen in Gruppen durch die Gegend. Am Rande der Stadt erkennt man allerdings an den verschiedenen Wellblechdächern eines der großen Slumgebiete, wo die Ärmsten der Armen wohnen.

Unsere Fahrer müssen sehr konzentriert fahren, denn die Straßen sind selbst in Nairobi, der Hauptstadt Kenias, eine Katastrophe. Ein Schlagloch folgt dem anderen oder es fehlen auch ganze Teile der Asphaltdecke. Auf unserer Fahrbahnseite kommt uns immer wieder Gegenverkehr entgegen, so dass wir nie richtig schnell fahren können. So benötigen wir für die etwa 170 Kilometer bis Nyahururu fast fünf Stunden. Allerdings fahren wir die alte kurvenreiche Strecke über Naivasha, weil wir einen Blick in das grandiose Rift Valley werfen wollen.

Das Rift Valley, auch »Der große Graben« genannt, erstreckt sich als eine über 6.000 Kilometer lange Spalte durch Afrika. Unvorstellbare unterirdische Kräfte rissen vor Millionen von Jahren die Erdkruste zwischen parallelen Verwerfungen auf, und das Land dazwischen sank ab. So sind beeindruckende Höhenunterschiede und tiefe Schluchten keine Seltenheit.

Nun stehe ich also auf einem nicht gerade Vertrauen erweckenden Brettervorbau, der für die zahlreichen Touristen errichtet wurde und einen beeindruckenden Blick auf die weite Ebene und die dahinter liegende Bergkette ermöglicht. Direkt unter meinen Füßen befindet sich noch dichter Laubwald, der sich in der Ferne langsam ausdünnt und in rotbraunen Erdboden und vereinzelte Akazienbäume übergeht. Dieser Anblick löst zum ersten Mal ein Heimatgefühl in mir aus. Endlich erkenne ich etwas von meinem vertrauten Kenia. Die Farbe der Erde, die Form der Bäume und diese überwältigende Weite erinnern mich an Barsaloi und mich überkommt ein spontanes Glücksgefühl. Es zieht mich weiter. Noch ist es ein weiter Weg bis zu meinem afrikanischen Zuhause.

Gegen Abend erreichen wir endlich Nyahururu, die mit 2.463 Metern am höchsten gelegene Stadt Kenias. Am rechten Straßenrand erkenne ich sofort mein früheres Lodging, das Nyahururu Space Haven Hotel, dessen Fassade sich allerdings von Blau in Rosa verwandelt hat. Es liegt dem Busbahnhof direkt gegenüber und deshalb herrscht um diese Zeit hier viel Betrieb. Mehrere Fahrer von Kleinbussen versuchen, die Kundschaft durch Hupen auf sich aufmerksam zu machen. Von hier aus fahren sie in alle Richtungen. Wenn man von Maralal her anreist, beginnt hier sozusagen die große weite Welt Kenias. Die Übernachtung in Nyahururu bedeutete für mich, wenn ich von Nairobi kam, immer das Verlassen der Zivilisation und gleichzeitig freute ich mich, weil ich wusste, nach weiteren 25 Kilometern beginnt das Samburuland, die Heimat meiner afrikanischen Familie.

Diesen Busbahnhof muss ich einfach besichtigen und versuchen, mein damaliges Transportmittel ausfindig zu machen. Wir drei Weißen mit Foto- und Filmkamera fallen natürlich auf und sofort sind wir umzingelt. Jeder will etwas wissen oder verkaufen. Ich frage nach dem bunten Maralalbus und erhalte zu meiner Enttäuschung die Antwort, dass nur noch Matatus dorthin fahren. Schade, denke ich, denn ich hatte mir vorgenommen, am nächsten Morgen diesen Bus zu besteigen, um die vierstündige Fahrt bis Maralal wie in alten Zeiten zu erleben. Schon allein das Beladen des Busses faszinierte mich. Die unterschiedlichsten Habseligkeiten, Schachteln, Tische, Schränke, Matratzen, Wasserkanister, usw. wurden auf abenteuerliche Weise im und auf dem Bus verstaut. Manchmal mischten sich die ersten bunt geschmückten Krieger mit ihren langen roten Haaren unter die Passagiere und dabei entstand eine aufregende Atmosphäre.

Ja, genau diese würde ich gerne noch einmal spüren und gemeinsam mit den Einheimischen und ihrer Fröhlichkeit in Maralal ankommen. Es war immer spannend und fraglich, ob man das Ziel überhaupt erreichte. Wie viele Male saß ich als einzige Weiße mit den Afrikanern im Straßengraben mitten in der Wildnis und wir konnten unsere Reise nicht fortsetzen, weil der Bus im Schlamm feststeckte. Wir schlugen von den Büschen Äste, um sie unter die Räder zu legen, bis es endlich weiterging.

Schade, diesen Bus, mit dem sich so viele Erinnerungen verbinden, gibt es nicht mehr, und so werde ich wohl oder übel bequem im Land Cruiser fahren. Mein Blick schweift ein letztes Mal über den Platz und wir machen uns auf den Weg zum Thomson's Falls Lodging, in dem in dieser Gegend die Weißen normalerweise übernachten. Es ist ein einfaches, aber angenehmes Lodging. Schon bei der Einfahrt begrüßen uns verschiedene Frauen aus ihren Souvenirshops und wir hören: »Jambo customer, how are you? I'm Esther. Come to my shop!« Weitere Frauen eilen herbei und wollen uns ihre Namen einprägen, damit wir morgen sicher im richtigen Shop das Richtige kaufen können. Das Problem sei nur, dass morgen Sonntag sei und sie deshalb von neun Uhr morgens bis drei Uhr nachmittags in der Kirche seien. Wir sollten doch warten und sie nicht enttäuschen. Nun ja, natürlich können wir nicht warten, denn meine Familie in Barsaloi wartet schon vierzehn Jahre auf meine Rückkehr.

Kurz vor der Weiterfahrt besichtigen wir die Thomson's Falls, den bekannten Wasserfall, der aus beachtlichen 72 Metern Höhe in die Tiefe fällt. Früher fuhr ich diese Strecke mehrere Male, doch für einen touristischen Halt hatte ich nie einen Sinn.

Nach der Besichtigung des Wasserfalls können wir das Camp ohne viel Aufsehen verlassen, da die Frauen ihre Souvenirläden tatsächlich noch geschlossen haben. Nun beginnt es für mich wirklich spannend zu werden, denn unser heutiges Reiseziel ist Maralal. Wenn alles wie vereinbart klappt, werden wir dort James treffen. In seinem letzten Brief hatte er vorgeschlagen, uns entgegenzukommen, um uns den neuen Weg nach Barsaloi zeigen zu können.

Ich freue mich sehr, ihn wiederzusehen, und bin neugierig, welche Neuigkeiten er zu berichten hat. Vor allem interessiert mich, wie Lketinga zu meinem Besuch steht. Freut er sich oder könnte es zu Schwierigkeiten kommen? Obwohl er selbst wieder mit einer einheimischen Frau verheiratet ist, bin ich überzeugt, dass er mich immer noch als seine Frau betrachtet. Ich kann mir einfach nicht vorstellen, wie er sich verhalten wird. Ich hoffe sehr, dass wir James finden werden und dass er meine letzten Zweifel beseitigen kann!

Anfänglich fahren wir noch einige Kilometer auf einer Asphaltstraße weiter, bis diese beim Dörfchen Rumuruti abrupt endet und in eine Naturstraße übergeht. Ab jetzt befinden wir uns im Samburuland. Wie mit einem Lineal gezogen ändert sich die Vegetation. Fuhren wir bisher durch viel grünes Weide- und Kulturland, so sieht die Landschaft nun äußerst trocken aus und die Farbe der Erde beginnt, sich von Beige in Rot zu verwandeln. Die Temperaturen steigen ebenfalls an.

Ab hier gibt es keine einzige Teerstraße mehr, nur holprige Naturpisten. Unsere Fahrzeuge hinterlassen eine riesige Staubwolke und wir werden kräftig durchgerüttelt. Als meine Reisebegleiter einige Bemerkungen zum Zustand der Piste machen, kann ich ihnen nur lachend versichern, dass es vor vierzehn Jahren noch wesentlich schlimmer war. Mir gefällt das Geschüttel und meine Freude kann nichts mehr bremsen. Die Erinnerung an diese Straße und ihre Tücken ist so stark, dass ich unseren Fahrer bitte, mich ans Steuer zu lassen. Wenn es schon den großen Bus auf dieser Strecke nicht mehr gibt, möchte ich mich wenigstens an meinen klapprigen Land Rover erinnern. Wir holpern über die Piste und ich muss mich beim Fahren sehr konzentrieren, um zumindest den größeren Löchern ausweichen zu können.

Aus den Augenwinkeln erkenne ich ab und zu die ersten Manyattas abseits der Straße. Hin und wieder tauchen ein paar Meter vor dem Wagen weiße Ziegen auf. Während sie die Straße langsam verlassen, blicken uns die sie hütenden Kinder hinterher. Die Jungen klemmen sich dabei meistens einen Stock hinter dem Rücken waagrecht zwischen die Armbeugen. Die jüngeren Mädchen hingegen lachen und winken uns Mzungus in den Autos hinterher. Nach etwa zwei Stunden erreichen wir ein kleineres Dörfchen, das sich lediglich an ein paar Shops rechts und links der Straße und natürlich den farbenfroh gekleideten Menschen, die davor stehen, ausmachen lässt. Nein, noch etwas kündigt im Gegensatz zu früher menschliche Behausungen an: Plastik! Es ist ein Trauerspiel zu sehen, wie sich der Einzug von Plastik in Kenia bemerkbar macht. Es beginnt etwa 500 Meter vor jedem Dorf. Anfangs hängen nur einige blaue, rosafarbene oder durchsichtige kleine Plastikbeutel an den niedrigen Büschen. Je näher man dem jeweiligen Dorfkern kommt, desto schlimmer wird es. An jedem Dorn der kleinen Büsche sind Plastikbeutel aufgespießt. Wenn man nur flüchtig hinsieht, könnte man meinen, es seien blühende Büsche, aber die traurige Wahrheit erschließt sich schnell bei genauerem Betrachten. Zu meiner Zeit in Kenia gab es hier noch fast kein Plastik. Hatte jemand einen Plastikbeutel von einem Touristen ergattert, wurde dieser wie ein Augapfel gehütet und immer wieder verwendet. Nun aber hängen sie zu Tausenden an den Büschen!

Maralal

Kurz bevor wir unser Tagesziel erreichen, übergebe ich das Steuer wieder unserem Fahrer, damit ich bei der Einfahrt in Maralal alles mit den Augen erfassen kann. Schnell bemerke ich, wie sehr dieser Ort inzwischen gewachsen ist. Es gibt neue Straßen, wenn auch Naturstraßen, sogar einen Kreisverkehr und direkt daneben, ich kann es nicht fassen, eine moderne BP-Tankstelle mit Laden, wie bei uns in der Schweiz. Wie ich bald feststelle, hat Maralal mittlerweile drei Tankstellen, Benzin ist immer erhältlich. Das war zu meiner Zeit noch ganz anders. Ich wusste nie, wann die einzige Tankstelle wieder Benzin bekommen würde. Manchmal mussten wir mehr als eine Woche ausharren, um anschließend mit einem vollen 200-Liter-Benzinfass über die gefährliche Buschstraße zu fahren. Zu Hause stellte sich dann die Frage, wo und wie wir das volle und gefährliche Fass verstauen konnten, da bei den Manyattas immer mit Feuer hantiert wird. Gott sei Dank half auch bei diesem Problem Pater Giuliani. Heute sind diese Tankstellen für alle Autobesitzer natürlich eine unglaubliche Erleichterung. Früher gab es allerdings nicht mehr als zehn Autos in dieser Gegend!

Mit unseren beiden Land Cruisern fahren wir langsam am Markt vorbei, der sich nicht wesentlich verändert hat. Mehrere Holzstände stehen nebeneinander und überall hängen die schönen bunten Massai-Decken und -Tücher im Wind. Dahinter befindet sich wie eh und je das Postamt. Später stelle ich erstaunt fest, dass dort vier Computer stehen, mit deren Hilfe sich die Missionare oder ehemalige Schüler über das Internet mit der Welt verbinden lassen können.

Wir fahren sehr langsam, um James nicht zu verpassen. Aufgeregt schlage ich vor, zuerst eine Runde durch Maralal zu fahren, da wir Weißen auffallen und James auf diese Weise sicher von unserer Ankunft hören wird.

Maralals Zentrum sieht aus wie früher, doch an den Rändern ist der Ort in alle Himmelsrichtungen gewachsen. Wir kommen an Sophias ehemaligem Häuschen vorbei und sofort tauchen die Erinnerungen an sie auf. Sie war mir in jener Zeit eine sehr gute Freundin. Wir hatten das Glück, zur gleichen Zeit schwanger zu sein und in derselben Woche unsere Töchter zur Welt zu bringen. Wir waren die ersten weißen Frauen, die in dieser Gegend Kinder geboren haben und konnten uns deshalb ein Zimmer im Spital von Wamba teilen. Sophia und ihren italienischen Kochkünsten verdanke ich, dass ich im letzten Schwangerschaftsmonat die nötigen zehn Kilo zulegen konnte, um für die Geburt wenigstens ein Minimalgewicht von siebzig Kilo zu erreichen. Heute wiege ich bei einer Körpergröße von 1,80 m weit mehr und bin nicht im neunten Monat schwanger. Wie gerne würde ich sie und ihre Tochter wiedersehen!

Nachdem wir unsere Maralal-Rundfahrt beendet haben, parken wir die Wagen vor dem Lodging, in dem ich früher immer mit Lketinga übernachtet habe. Kaum ausgestiegen, sind wir von mindestens acht jungen Männern umringt, die uns etwas verkaufen möchten. Einer von ihnen erwähnt, dass hier vor ein paar Wochen, genau in diesem Lodging, der Film über »Die weiße Massai« gedreht wurde. Ob wir diese Geschichte auch kennen? Ein anderer nickt bestätigend mit dem Kopf und fragt dazwischen, ob wir vielleicht auch zu diesen Filmleuten gehören. Dabei schaut er mich prüfend an. Wir verneinen, während wir das Restaurant betreten.

Es ist anders eingerichtet, als ich es in Erinnerung habe. In der Mitte dominiert eine barähnliche Theke, die mit einem Maschendraht vergittert ist. Durch eine kleine Öffnung bekommen wir unsere Cola gereicht. Wir werden weiterhin von den Männern belagert, von denen einige nach Bier riechen. Ich werde nach meinem Namen gefragt und sage irgendeinen. Ich möchte mich nicht als die echte weiße Massai zu erkennen geben, zumal ich noch nicht weiß, wie das Filmteam hier in Maralal aufgenommen worden ist. Aber was ist, wenn James jeden Moment eintrifft?

Zur Ablenkung frage ich nach Samosas, den kleinen, mit Fleisch gefüllten Teigtaschen. Sofort läuft einer der Männer los, um nach nur wenigen Minuten zehn in altes Zeitungspapier gewickelte Samosas auf den Tisch zu legen. Erfreut esse ich drei davon. Meine Begleiter Albert und Klaus hingegen verspüren beim Anblick der fettigen Druckerschwärze keinerlei Appetit.

Wo bleibt nur James? Wir warten noch etwa eine halbe Stunde, doch er taucht nicht auf. Was ist, wenn er meinen letzten Brief nicht erhalten hat? Allerdings habe ich keinen genauen Treffpunkt ausgemacht, weil ich Maralal als sehr übersichtlich in Erinnerung hatte.

Inzwischen türmen sich die Touristensouvenirs, handgefertigter Massai-Schmuck, kleine Kopfstützen aus Holz sowie Rungus, die Schlagstöcke der Krieger, zwischen den Samosas auf dem Tisch und langsam wird es ungemütlich. Wir bezahlen einen für hiesige Verhältnisse enormen Betrag für die Teigtaschen und verteilen die restlichen an die übrigen Gäste. Draußen ist James immer noch nicht in Sicht und so beschließen wir, vorerst in die Safari Lodge hochzufahren, um in Ruhe unsere Zimmer zu beziehen.

Mit dieser Lodge verbinden mich ganz besondere Erinnerungen. Auf ihrer Terrasse saß ich, als ich zum ersten Mal nach Maralal kam, um meinen späteren Mann zu suchen. Ich beobachtete stundenlang die Zebras, Affen und Wildschweine um das Wasserloch und fragte mich, hinter welchem Hügel wohl dieser geheimnisvolle Krieger lebt und ob er ahnt, dass ich in seiner Nähe bin. Mit einer Handvoll Fotos bewaffnet lief ich täglich durch Maralal und fragte immer wieder die ankommenden traditionell gekleideten Männer nach Lketinga. Nach zehn Tagen wurden meine Bemühungen und Gebete belohnt. Ich konnte die größte Liebe meines Lebens in die Arme schließen und unser Schicksal nahm seinen Lauf.

Später brachte mich einmal mein Mann in diese Lodge, als ich wegen einer Malariaerkrankung so geschwächt war, dass ich kaum noch stehen konnte. Da ich wochenlang kein Essen heruntergebracht hatte, wollte mich Lketinga schließlich vor Verzweiflung an einen Ort bringen, wo es Salate und Sandwiches, also Essen für Weiße, gab. Tatsächlich konnte damals ein einfaches Sandwich mit Schinken und Käse nach monatelangem Maismehl und Ziegenfleisch meine Lebensgeister wieder wecken. Übernachtet habe ich hier allerdings bis heute noch nie.

Wiedersehen mit James

Ich schüttle meine Erinnerungen ab und laufe zum Wagen zurück, um mein Gepäck in Empfang zu nehmen. Plötzlich hören wir ein lautes Knattern und in der nächsten Sekunde fährt jemand auf einem Motorrad vor. Augenblicklich erkenne ich James. Ich kann es kaum glauben, er fährt Motorrad! Er bockt die kleine Geländemaschine sorgfältig auf, zieht seine Mütze ab und eilt mit ausgestreckten Armen, die trotz der Hitze in einer dicken Jacke stecken, lachend wie ein kleiner Junge auf mich zu. Wir liegen uns zum ersten Mal in den Armen und die Freude ist riesig.

Über all die Jahre hatten wir nur Briefkontakt. Er ist die Verbindung zur ganzen Familie. Ohne ihn gäbe es keine Kommunikation. Wir können minutenlang vor Freude nur lachen. Ich bin überrascht, wie sich James entwickelt hat. Als ich ihn zum letzten Mal sah, war er ein etwa siebzehnjähriger Schüler und heute scheint er ein reifer Mann zu sein.

Auch mein Verleger, den James ja schon kennt, und Klaus werden überschwänglich von ihm begrüßt. Aufgeregt erzählt er uns, er habe unsere Wagen im letzten Moment in Maralal gesehen und sei mit dem Motorrad sofort hinterhergefahren. Wir aber hätten ihn im Rückspiegel einfach nicht bemerkt! Nun ja, die Wagen hinterlassen eine riesige Staubwolke und schließlich hatten wir ihn nicht auf einem Motorrad erwartet.

Nach der herzlichen Begrüßung gehen wir alle zurück auf die Terrasse und es wird erzählt. James ist etwas größer als ich und sein Gesicht ist fülliger geworden, was wiederum seine Augen etwas kleiner erscheinen lässt. Er ist sportlich und sehr warm gekleidet und trägt feste Schuhe, eine Art Wanderschuhe, die ich in dieser Gegend noch nie gesehen habe. Die meisten Einwohner liefen früher in Sandalen aus alten Autoreifen oder in Plastikschuhen herum.

Lachend erzählt er, dass ganz Barsaloi auf unsere Ankunft wartet und Mama es so lange nicht glauben will, bis wir vor ihrer Manyatta stehen. Sie freue sich sehr und habe immer gewusst, dass sie mich noch einmal sehen werde. Albert erkundigt sich nach seinem Motorrad und sofort beginnen James' Augen zu leuchten. Er ist sehr stolz auf seine Errungenschaft. Nur ein früherer Schulfreund und er hätten es zu einem Motorrad gebracht. Für ihn bedeutet es eine erhebliche Erleichterung, wenn er die weite Strecke von seiner Schule nach Hause zu seiner Familie auf diese Weise bewältigen kann. Allerdings könne er sich das nur am Wochenende leisten, da sonst die Kosten für Benzin und Unterhalt zu hoch seien. Er ist

Headmaster, also Direktor, einer kleineren Schule einige Kilometer abseits von Barsaloi, und die Fahrzeit dorthin beträgt etwa 45 Minuten. Unglaublich sich vorzustellen, dass ein Schulleiter sich die tägliche Heimfahrt mit dem Motorrad nicht leisten kann! Das ist Nordkenia – Samburuland – und James empfindet es als normal. Er ist glücklich, dass er überhaupt ein Motorrad besitzt.

Natürlich muss ich vor allem von Napirai erzählen. Warum ist sie nicht mit mir hierher gekommen? Wie groß ist sie jetzt? Fragt sie nach uns, ihrer afrikanischen Familie? Und wird sie denn auch einmal kommen? Geht sie gerne in die Schule? Fragen über Fragen, die ich, so gut ich kann, beantworte. Ich erkläre James ehrlich, dass ich mir selbst erst einmal einen Überblick verschaffen möchte, um dann Napirai mit Fotos und Filmmaterial langsam für einen späteren Besuch interessieren zu können. Wenn alles ohne Probleme verläuft, wird sie bei einem nächsten Besuch sicher dabei sein.

Die Zeit verfliegt im Nu und schon werden wir für das gemeinsame Abendessen an einen Tisch geführt. Wir sind die einzigen Gäste. Schon früher bin ich hier nie auf andere Touristen gestoßen und dennoch scheint die Lodge auf geheimnisvolle Weise zu funktionieren. James isst hier das erste Mal und schaut sich interessiert das Besteck links und rechts des Tellers an.

Als Vorspeise wird ein Toast mit Pilzen serviert und ich muss lachen, denn ich weiß, Samburu essen keine Pilze. James fragt vorsichtig, was das für ein Gericht sei, und schaut etwas betreten auf das kleine Stück Toast. Ich muss so sehr lachen, dass ich kaum dazu komme, es ihm zu erklären. Ständig habe ich die Worte von Lketinga im Ohr: »Was die Weißen essen, ist kein richtiges Essen und satt wird man davon auch nicht.« Dabei hatte er immer das Gesicht verzogen. Mit einem ähnlichen Gesicht sitzt nun James vor seinem Toast. Endlich erhole ich mich und erkläre ihm, um was es sich handelt und dass es nur eine Vorspeise ist. Er meint: »Okay, kein Problem, ich werde es probieren. Schließlich bin ich Gast und als Gast isst man, was man bekommt.«

Nach ein paar Minuten erlöse ich James von seinem Toast, als auch schon der zweite Gang serviert wird, eine Tomatensuppe. Die schmeckt ihm schon besser, obwohl auch sie ungewohnt ist. Dann endlich kommt ein Stück Fleisch. Das ist eher etwas für ihn, obwohl aus seiner Sicht etwas zu klein geraten. Das unbekannte Schokoladenmousse zum Abschluss kann ihn jedoch nicht entzücken.

Während des Essens wird viel gelacht und geredet. Ich erkundige mich nach Lketinga und James antwortet: »He is not bad in this time.« Es gehe ihm gut und er habe vor einem Monat wieder ein junges Mädchen geheiratet. Ich bin überrascht, da diese Absicht in keinem der letzten Briefe erwähnt wurde. James erklärt, dass Lketinga sich erst vor kurzem zu einer weiteren Heirat entschlossen habe. Seine erste, beziehungsweise nach mir zweite Frau, sei ständig krank und habe mehrere Fehlgeburten hinter sich. Lketinga hat bis heute in Kenia nur eine Tochter, Shankayon. Er hätte aber gerne mehr Kinder und habe nun lange genug gewartet. Seine kranke Frau sei schon seit ein paar Monaten nicht mehr in Barsaloi, sondern sei zu ihrer Mutter zurückgekehrt.

Das sind in der Tat überraschende und unvorhergesehene Neuigkeiten und ich hoffe, dass mein Erscheinen nicht noch zusätzliche Probleme verursacht. Nachdem ich James meine Befürchtungen mitgeteilt habe, meint er lachend: »Nein, nein, es gibt keine Probleme!«

Er erklärt, dass Lketinga bei meiner Ankunft nicht ohne Frau dastehen wollte, weil dies auf mich vielleicht einen schlechten Eindruck gemacht hätte. Da er sowieso weitere Kinder möchte, sei diese Lösung das Beste. Den ersten Teil der Begründung finde ich zwar etwas weit hergeholt, bin aber dennoch froh, dass Lketinga eine Frau von seinem Stamm an seiner Seite hat. Höchstwahrscheinlich ist sie ein junges Mädchen, nicht viel älter als unsere Tochter Napirai!

Für uns Europäer ist so etwas kaum vorstellbar. Aber in der Kultur der Samburu haben die Männer meist gar keine andere Möglichkeit, als sich junge Frauen auszusuchen. Häufig werden Mädchen mit bis zu vierzig Jahre älteren Männern verheiratet und wenn diese sterben, dürfen die Frauen, auch wenn sie erst zwanzig Jahre alt sind, nie mehr heiraten. Sie können noch Kinder gebären und diese tragen den Familiennamen des Verstorbenen, wissen aber nie, wer ihr wirklicher Vater ist, weil darüber nicht gesprochen wird. Bei den Samburu gibt es normalerweise keine Liebesheirat. Lketingas und meine Ehe war eine große Ausnahme. Ich weiß, dass er dadurch etwas Schönes, Außergewöhnliches erlebt hat, auf der anderen Seite hat es ihn aber auch verwirrt und verunsichert.

Wie wird das wohl mit seiner neuen Frau gewesen sein? Ich bin gespannt. Seine erste Frau kannte ich. Sie hat als Mädchen öfter in unserem Shop Lebensmittel eingekauft. Jahre später habe ich sie auf dem Video, das Pater Giuliani während unseres Hochzeitsfestes gedreht hat, entdeckt und mich sehr darüber gefreut. Ich hätte sie gerne wiedergetroffen, als junge Frau und Mutter von Napirais Halbschwester.

Wir wechseln ins Kaminzimmer und trinken ein letztes Glas Wein. James bleibt bei Cola, da er Wein nicht kennt und mit dem Motorrad nach Maralal fahren muss. Während ich in das knisternde Feuer schaue, höre ich aufmerksam zu, wie James Albert und Klaus von seiner ersten Begegnung mit mir erzählt. Es war vor der Schule in Maralal, nachdem ich Lketinga endlich gefunden hatte. Lketinga führte mich zur Schule, um mir seinen Bruder vorzustellen und ihm mitzuteilen, dass wir nach Mombasa gehen werden. James, damals etwa vierzehn Jahre alt, wurde geholt und kam sehr schüchtern auf uns zu. Sein Blick war gesenkt und er traute sich kaum, uns anzuschauen.

Nun versucht er, seinen damaligen Zustand zu beschreiben: »Ich war sehr verunsichert, weil ich dachte, diese Weiße wäre mein Sponsor. Ich wusste, dass eine amerikanische Lady meine Schule finanzierte, und überlegte, warum sie auf einmal dastand. Was konnte das nur bedeuten? Ich war sehr nervös. Erst als mein Bruder mir erklärte, dass Corinne zu ihm gehöre und hierher gekommen sei, um ihn zu suchen, merkte ich, was los war. Aber auch diese Neuigkeiten erschienen mir verrückt. Mein Bruder mit einer weißen Frau, die bei unserer Mama leben wollte? Da sah ich viele Probleme kommen, weil er nie eine Schule besucht hatte. Er wusste nichts über die weiße Welt und auch alle anderen bei uns zu Hause kannten nur das traditionelle Samburuleben. Es ist etwas anderes, wenn man eine Schule besucht hat, aber so sah ich nur Schwierigkeiten. Lketinga ist älter als ich und war damals ein Krieger. Ich hingegen war noch ein unbeschnittener Schuljunge und konnte einem Krieger nicht sagen, was ich dachte. Ja, und die Probleme tauchten bereits in Mombasa auf und Corinne stand einige Wochen später erneut vor der Schule, diesmal aber allein. Wieder war sie auf der Suche nach meinem damals kranken Bruder. Ich sollte sie nach Barsaloi zu meiner Familie bringen. Ich versprach zu helfen, obwohl es für mich ein großes Problem gewesen wäre, die Schule für ein paar Tage zu verlassen. Bei uns verlässt man die Schule nur in den Ferien oder wenn jemand zu Hause gestorben ist. Es wäre wirklich nicht gut gewesen! Gott sei Dank hat sie dann die Lösung und den Weg allein gefunden.« Dabei schaut er mich lachend an. Vieles von dem, was er gerade aus seiner Sicht erzählt hat, ist für mich neu und dennoch zieht diese Zeit deutlich vor meinem inneren Auge vorbei.

Morgen ist es so weit. Ich trete erneut die Reise von Maralal nach Barsaloi an und werde Lketinga zum ersten Mal seit meiner Flucht vor vierzehn Jahren wieder gegenüber stehen. Ein mulmiges Gefühl kann ich nicht verleugnen. Das Feuer ist heruntergebrannt und wir alle fühlen uns von der langen Anreise und den ersten Aufregungen etwas erschöpft. Es wird vereinbart, dass wir James morgen früh bei der Post treffen und gemeinsam das Nötigste einkaufen werden.

Wir ziehen uns in die Zimmer zurück und ich freue mich, dass auch hier ein kleines Feuer im Kamin brennt. Bald liege ich unter einem Moskitonetz im Bett und warte auf den Schlaf. Doch jetzt, nachdem alles um mich herum ruhig ist, merke ich, wie aufgewühlt ich bin. Der Schlaf will nicht kommen, stattdessen steigt eine seltsame Traurigkeit in mir hoch. Je mehr ich nachdenke, desto größer wird meine Panik, dass ich morgen, wenn ich Mama und Lketinga sehe, heulen muss, was kein gutes Zeichen im Sinne der Samburu-Sitte wäre. Man vergießt nur Tränen, wenn jemand gestorben ist.

Ich stehe noch einmal auf, setze mich draußen vor die Türe und lausche in die Stille der Nacht. Bald ist Vollmond. Überall knackt es im Gebüsch, doch sehen kann ich nichts. Ein Affe keckert kurz in der Nähe und plötzlich höre ich aus der Ferne das Singen von Kriegern. Irgendwo da draußen haben sich Dutzende von Kriegern und Mädchen versammelt und tanzen im Licht des Mondes. Durch den Wind werden die Gesänge manchmal lauter, dann wieder leiser. Zwischendurch höre ich deutlich das Stampfen der Füße, das ab und zu durch einen kurzen spitzen Schrei unterbrochen wird. Ich sitze da, lausche und stelle mir vor, wie die schön geschmückten Krieger ihre hohen Sprünge ausführen, während die jungen Mädchen mit dem Kopf und dem schweren Halsschmuck im Takt mitwippen. Solchen Tänzen habe ich früher oft zugesehen, wenn mein Mann tanzte, und jedes Mal war es bewegend und aufregend.

Ich spüre, dass die Traurigkeit und die Unsicherheit gewichen sind und ich mich glücklich und frei fühle. Jetzt bin ich bereit, morgen die Familie zu treffen, und freue mich. Zufrieden schlüpfe ich erneut unters Moskitonetz, schnuppere die leicht rauchige Luft im Zimmer und schlafe bald ein.

Zur verabredeten Zeit treffen wir beim Postamt ein. Sofort sind die jungen Männer von gestern wieder um uns herum versammelt und wollen ihre Geschäftstüchtigkeit erproben. Überraschenderweise bekommt Albert, den wir zu meinem

Schutz als meinen Vater ausgeben, heute einen traditionellen Rungu, einen Schlagstock aus Hartholz, geschenkt.

Erst als James erscheint und ein paar Worte mit den Jugendlichen wechselt, können wir uns einigermaßen in Ruhe auf dem Markt umsehen und für meine Schwiegermama eine schöne, warme Decke aussuchen. Im Gepäck habe ich schon zwei Decken, eine für Lketinga in orangerot, weil er diese Farben mag, und eine andere karierte für seinen älteren Bruder. Die Männer tragen diese auch als wärmende Kleidungsstücke. Mama bekommt für ihre Manyatta eine besonders dicke Wolldecke.

Danach fahren wir mit den Autos zu einem Laden, in dem man Lebensmittel in größeren Mengen kaufen kann. Wir ordern jeweils einen 25-Kilo-Sack mit Reis und Maismehl guter Qualität, verschiedene Speisefette, Teepulver, Süßigkeiten, Seifen und einiges mehr. Im Shop nebenan wird Gemüse verkauft. Auch hier bestellen wir mehrere Kilogramm Tomaten, Karotten, Kohl, Zwiebeln und Orangen. Für uns selbst müssen wir auch noch einiges besorgen, da wir ja nicht nur von Ziegenfleisch leben wollen.

Kurz vor der Abfahrt läuft James noch zum Tabakhändler, um sich 3 kg Kautabak einpacken zu lassen. Für die alten Menschen ist dieser fast wichtiger als Essen. In unserem Auto fährt eine traditionell schön geschmückte Frau mit. Sie ist überglücklich, dass sie die weite Strecke in einem Auto zurücklegen darf. Hier ist es selbstverständlich, wenn in einem Fahrzeug noch Platz ist, fremde Personen mitzunehmen.

Von Maralal nach Barsaloi

Endlich können wir starten. James fährt mit dem Motorrad vor uns her. Es gibt eine neue Straße nach Barsaloi, denn die alte ist definitiv nicht mehr befahrbar. Schade, denn ich hätte sie zu gerne meinen Mitreisenden vorgeführt. Die neue ist erst vor ein paar Monaten fertiggestellt worden und deshalb im Moment noch einigermaßen angenehm zu befahren. Die Jahre davor musste man einen fünfstündigen Umweg über Baragoi in Kauf nehmen.

Wir durchqueren die letzten Regenpfützen und Schlammlöcher und bald steigt der Weg beträchtlich an. James hinterlässt mit seinem Motorrad eine dicke, schwarze Rauchwolke. Ab und zu kommen uns Männer und Frauen entgegen, die auf dem Weg in die kleine Stadt sind. Die Frauen tragen Kalebassen, gefüllt mit Milch für den Verkauf. Für dieses minimale Geschäft laufen sie täglich mehrere Stunden.

Die Kalebassen sind leicht und werden seit Urzeiten aus einer Kürbispflanze oder aus Holz hergestellt und als Gefäß benutzt. Die Massai und die Samburu befestigen mit bunten Perlen bestickte oder mit kleinen Muscheln verzierte Lederbändchen daran. Damit die Kalebassen immer wieder gebrauchsfähig sind, werden sie am Abend von den Frauen mit einem glühenden Feuerholz ausgeräuchert und auf diese Weise sterilisiert. Deshalb riecht die Milch etwas rauchig, wodurch sie mir in Mamas Hütte immer besonders gut schmeckte.

Die Männer führen meistens eine oder mehrere Ziegen im Schlepptau, manchmal auch eine Kuh, die sie in Maralal verkaufen wollen. Sie trennen sich nur von ihren Tieren, wenn sie dringend Geld für Ritualfeste, Hochzeiten oder Krankenhausrechnungen brauchen.

Auch wenn unsere Fahrer bald den Vierradantrieb einschalten müssen, ist dieser Weg immer noch eine komfortable Angelegenheit im Vergleich zur alten Buschstraße. Keine Elefanten oder Büffel brechen durch den Busch und blockieren die Weiterfahrt. Nach gut einer Stunde Berg- und Talfahrt erreichen wir ein kleines Manyattadorf namens Opiroi. Einige Frauen sitzen mit ihren Kindern vor den Hütten und schauen unseren Fahrzeugen nach. Die kleinen Kinder, zum Teil nackt oder nur mit einem T-Shirt bedeckt, winken am Straßenrand.

Eine halbfertige Kirche dominiert den kleinen Platz. Wir fahren ohne Halt weiter, denn wir wollen so schnell wie möglich nach Barsaloi. Immer wieder durchqueren wir kleinere ausgetrocknete Bachbette. Wasser ist in dieser Gegend Mangelware.

Zu meinem Erstaunen sehe ich viele Kamele, die, aufgeschreckt durch unsere Autos, wie in Zeitlupe in die Büsche fliehen. Offensichtlich halten sich neuerdings die Samburu vermehrt diese Tiere.

Wir erreichen eine Anhöhe zwischen zwei Steinhügeln. Sobald wir diese passiert haben, können uns die Menschen in Barsaloi auf Grund der Staubwolken am Horizont ausmachen, obwohl wir noch eine halbe Stunde Fahrt vor uns haben. Heute wird sicher das halbe Dorf auf uns warten.

Bei einem letzten Halt unterbreitet Klaus den Vorschlag, mit einem unserer Fahrer ins Dorf vorauszufahren. So könne er in Ruhe die nötigen Vorbereitungen treffen, um meine Ankunft und Rückkehr filmisch festzuhalten. James ist einverstanden und wird versuchen, dieses Vorhaben Lketinga zu erklären. Albert und ich könnten uns in der Zwischenzeit vor dem großen Barsaloi-River die Schule anschauen. Sie wurde gerade erbaut, als ich das Dorf verließ. Außer ein paar Grundmauern stand damals noch nichts. Auch heute fehlt es noch an allem Möglichen, wie wir später feststellen, aber die Kinder der Gegend haben endlich eine eigene Schule.

Kurz nachdem Klaus abgefahren ist, beschleicht mich doch ein mulmiges Gefühl. Was wird Lketinga sagen, wenn er als Erstes einen ihm Unbekannten trifft und dieser noch dazu mit einer Filmkamera ausgerüstet ist? Und die anderen Leute im Dorf? Wie sehen sie das? Die meisten wissen nicht, was ein Film ist, und Klaus will eine Kamera mit Stativ aufstellen.

Mir ist nicht ganz geheuer bei diesem Vorhaben, doch werden die größten Zweifel durch meine Gedanken an Napirai zerstreut. Vor allem für sie wollte ich die Reise ausführlich dokumentieren, damit sie möglichst viel nacherleben kann. Schließlich treffen sich ihre Eltern nach Jahren wieder. Sie kann sich an die Zeit in Kenia nicht mehr erinnern und das alles ist in gewisser Weise fremd für sie. Sie steht zwischen den Kulturen und lebt doch nur in einer – der weißen. Mein Herz hängt mehr an Afrika als ihres. Sie hat die Sichtweise einer Weißen und wird dennoch nicht als Weiße wahrgenommen. Es ist nicht einfach für sie und deshalb möchte ich filmisch und fotografisch so viel wie möglich festhalten, um ihr die afrikanische Familie näher bringen zu können.

Meine Unruhe wird immer größer, ich bin neugierig und voll innerer Anspannung. In der Ferne sehe ich bereits die ersten Behausungen von Barsaloi. Es scheint um einiges größer geworden zu sein. Dennoch kommt mir der Anblick so vertraut vor, als ob ich erst vor kurzem hier gewesen wäre.

Zwischen Büschen und Akazien tauchen die länglichen Gebäude der Schule auf. Wir fahren langsam auf ein Tor zu, vor dem der Schuldirektor bereits wartet und uns herzlich begrüßt. Hinter ihm befindet sich eine Mauer mit verschiedenen Wandgemälden. Eines zeigt einen Richter in Robe und entsprechender Mütze. Daneben spielen zwei Kinder Fußball. Auf dem dritten farbigen Bild ist ein Tisch mit einem Computer dargestellt, den ein mit einem feinen Anzug bekleideter Mann bedient. Über den Gemälden steht der Spruch »Walk out productive«. In dieser abgelegenen Steppe sieht zumindest das Bild mit dem Computer ziemlich komisch aus, zumal ich von James weiß, dass es häufig sogar an den dringendsten Materialien wie Stiften und Papier mangelt und selbst er sich mit Computern nicht auskennt.

Der Direktor führt uns durch die Schulanlage und ich staune, was hier mit geringsten Mitteln entstanden ist. Die Klassenzimmer sind einfach, aber zweckmäßig eingerichtet. Fenster aus Glas gibt es nicht, dafür sind sie mit Maschendraht vergittert. Der ganze Stolz des Schulleiters ist eine kleine Bibliothek mit ein paar wenigen Büchern. Die Kinder können sich dort ein Buch holen und in einem kahlen, nüchternen Aufenthaltsraum lesen. Nach Hause dürfen sie die Bücher allerdings nicht mitnehmen, da sie in den Manyattas durch den Rauch beschädigt würden.

Einige Kinder schauen neugierig durch die vergitterten Fenster und bestaunen die weißen Besucher. In einer Ecke des Hofes stehen andere in einer Reihe an, um ihre Aluminiumteller mit Ugali, einer Art Maisbrei, füllen zu lassen. Sie alle machen einen scheuen, aber zufriedenen Eindruck. Ich bin sicher, sie sind stolz darauf, von ihren Eltern überhaupt in die Schule geschickt zu werden. Was würde wohl meine Tochter sagen, wenn sie hier zur Schule gehen müsste?

So interessant und bewegend der Schulbesuch auch ist, möchte ich nun doch endlich ins Dorf und meine Familie wiedersehen. Sie verstehen sicher nicht, warum wir immer noch nicht da sind, nachdem sie die Staubwolken schon vor einer Weile gesehen haben.

Endlich fährt unser Wagen langsam die steile Böschung des Barsaloi-Rivers hinunter und durchquert das 150 Meter breite, trockene Flussbett. Nur noch ein paar Meter und wir haben das Dorf erreicht. Rechts und links des Weges sehe ich die ersten Hütten.

Mit klopfendem Herzen versuche ich, mit den Augen so viel wie möglich zu erfassen. Wo steht wohl Lketinga? Wo wird er mich empfangen? Steht er im Dorf oder wartet er in einer Hütte, abgeschirmt von all den neugierigen Blicken? Es sind so viele neue Holzhütten entstanden, dass ich gar nicht weiß, wohin ich zuerst schauen soll. Überall stehen Menschen. Links oben erkenne ich die Mission. Sie erscheint mir kleiner als früher. Auch fehlen die grünen Bananenbäume. Dafür ist die Kirche fertig gestellt. Kinder springen mit etwas Abstand unserem Wagen hinterher.

Da! Endlich entdecke ich unseren zweiten Wagen und das Motorrad von James. Unser Fahrer hält direkt daneben. Als ich etwas benommen aussteigen möchte, schießen mir durch das offene Wagenfenster zwei Arme entgegen und umklammern meinen Hals, während ich gleichzeitig abgeküsst werde. Ich höre immer wieder: »Oh Corinne, oh Corinne!«, und weiß gar nicht, was los ist, geschweige denn, wer mir da am Hals klebt. James eilt herbei und führt den offensichtlich gerührten Mann weg. Lketinga war es auf jeden Fall nicht!

Lketinga

Endlich kann ich aussteigen und habe freie Sicht. Etwa zwanzig Meter von mir entfernt erblicke ich Lketinga unter einer großen Schirmakazie. Lang und stolz steht er mit elegant gekreuzten Beinen in der typischen Massai-Haltung da.

Ich weiß, er wird sich keinen Schritt bewegen. Es gehört sich nicht, dass ein traditioneller Samburu einer Frau entgegenkommt. Also gehe ich unter den neugierigen Blicken der umherstehenden Menschen auf ihn zu. Mein Kopf ist leer. Ich kann nichts mehr denken, sondern höre nur das Pochen meines Herzschlags. Diese wenigen Meter kommen mir unendlich lang und weit vor.

Nach wie vor ist Lketinga sehr groß und schlank. Er stützt den linken Arm in die Hüfte, während er sich mit dem rechten elegant an einen langen Stock lehnt. Über einem roten Hüfttuch und einem gelben T-Shirt trägt er ein großes weißes Schultertuch mit blauen Punkten. Seine Füße stecken wie eh und je in Sandalen aus alten Autoreifen. Neben dem langen Stock hält er noch einen Rungu in der Hand. An der rechten Hüftseite lugt unter dem T-Shirt die rote Lederscheide seines Buschmessers hervor.

Das alles erfassen meine Augen, während ich mich auf ihn zu bewege. Gleichzeitig höre ich, wie er lachend mit seiner leicht rauen, sanften Stimme ruft: »Hey, you are looking big, very big, like an old Mama!« Diese Begrüßung verscheucht meine Verlegenheit und ich entgegne scherzend: »Auch du siehst aus wie ein alter Mann.«

Bei ihm angekommen, schaue ich in seine Augen und dann geschieht alles irgendwie wie von selbst. Wir liegen uns in den Armen, begrüßen und drücken uns innig und herzlich. Es spielt keine Rolle, dass so etwas hier nicht üblich ist. Es war nicht geplant und gehört einfach wie selbstverständlich dazu. Nach einigen Sekunden löse ich mich von Lketinga und schaue in sein Gesicht. Mit den Augen tasten wir uns gegenseitig ab. Er sieht viel besser aus als noch vor sechs Jahren. Damals traf Albert ihn in Maralal, um das Buch zu überreichen. Die Fotos, die er von dieser Begegnung mitbrachte, haben mich ziemlich erschüttert. Heute hingegen erkenne ich in seinem Gesicht viel von seiner früheren Schönheit. Nach wie vor hat er ein wunderschönes Profil. Seine Gesichtszüge sind fein, die Nase ist nicht groß und die Lippen sind schön und voll. Wenn er lacht, sieht man seine weißen Zähne mit der Zahnlücke blitzen. Die Backenknochen stehen stärker hervor als früher, was die Wangen leicht eingefallen wirken lässt. Auf der hohen Stirn haben sich inzwischen einige Fältchen eingegraben, dagegen ist sein kurzes Kraushaar noch fast schwarz. In den großen, nach Samburu-Sitte gedehnten Löchern seiner Ohrläppchen hängen kleine silbrige Metallringe.

Während wir uns scherzend unterhalten, ergreift er meinen rechten Arm mit der silbernen Armspange, hält ihn hoch und fragt etwas verwundert: »What is this? Warum trägst du nicht mehr die Spange, die ich dir zur Hochzeit gegeben habe? Was ist das hier für ein Armreif und was bedeutet er?« Etwas überrumpelt antworte ich leicht verlegen, aber lachend: »Du sagst ja selber, dass ich dicker geworden bin. Ich musste unseren Armreif entfernen lassen, denn er war an meinem Arm zu eng.« Er schüttelt verständnislos den Kopf.

Diese ersten Sekunden haben mich sehr aufgewühlt und ich merke, wie sich langsam meine Augen mit Flüssigkeit füllen. Oh Gott, jetzt nur keine Tränen! Ich wende mich etwas von Lketinga ab, um meine Rührung zu verbergen. Doch Lketinga hat es bereits bemerkt und ergreift erneut meinen Arm:

»Don't cry! Warum weinst du? Das ist nicht gut.« Ich atme tief durch, beiße mir auf die Lippen und versuche die Kontrolle zu behalten. Jetzt nur keine rollenden Tränen vor all diesen Blicken! Als erwachsene Frau weint man hier nicht. Zur Ablenkung frage ich nach Mama. Lketinga nickt und meint: »Okay, okay, später bringe ich dich zu Mama. Pole, pole – langsam, langsam.«

Erst jetzt bemerke ich etwas abseits Klaus, der alles gefilmt hat. An ihn habe ich gar nicht mehr gedacht! Allmählich kommt nun auch Albert näher und wird von meinem Ex-Mann mit Handschlag und Lachen freundlich begrüßt. Man sieht Lketinga an, wie stolz er auf seinen Besuch ist. Wie früher bewegt er sich ruhig, graziös und ohne jede Hektik. Die Einzige, die hektisch ist, bin wohl ich. Dennoch bin ich erstaunt, wie problemlos und natürlich, ja fast spielerisch ich mich mit Lketinga unterhalten kann. Es ist, als wären all die Jahre nicht dazwischen gewesen. Wir haben »unsere« vertraute Sprache, das einfache Englisch durchsetzt mit Massai-Wörtern, sofort wieder aufnehmen können. Auch schwingt in unserer Unterhaltung von Anfang an etwas Neckisches mit und so fragt er mich nun: »Warum hast du deine Haare rot gefärbt wie ein Krieger? Du bist doch jetzt eine old Mama!« Dabei schüttelt er lachend den Kopf.

Plötzlich werden seine Augen dunkel und zwischen seinen Augenbrauen taucht jene bedrohliche Falte auf, die mir früher immer etwas Unangenehmes ankündigte. Mit ernster Stimme fragt er: »Wo ist mein Kind? Warum ist mein Kind nicht hierher gekommen?« Mein Herz setzt einen Moment aus, um dann doppelt so schnell weiterzuschlagen. Ich schaue ihm fest in die Augen und erkläre, dass Napirai zur Zeit viel für die Schule arbeiten muss. Bestimmt werde sie aber später einmal, wenn sie alles hinter sich habe, nach Barsaloi kommen. Sein Gesicht entspannt sich, während er mich prüfend ansieht und sagt: »Okay, it's okay. I wait for my child. I really hope that she will come.«

Ich schaue in die Richtung eines langen Gebäudes und erkenne dort Lketingas älteren Bruder, Papa Saguna. Er sitzt mit anderen Männern im Schatten und schaut zu uns herüber. Erfreut winke ich ihm zu, worauf er sich erhebt und auf uns zukommt. Wir begrüßen uns mit einem herzlichen, aber respektvollen Handschlag. Er ist sozusagen das Oberhaupt der Familie, da der Vater nicht mehr lebt und somit sein Wort als Ältester am meisten zählt. Er spricht nur Maa, was den Zugang zu ihm für mich erschwerte. Aber jetzt lächelt er, was mich sehr erleichtert. Früher wusste ich nie, ob er mich mochte oder nicht. In gewisser Weise erschien er mir immer als der Wildeste in der Familie. Wenn er mit seiner rauen Stimme spricht, hört es sich an, als ob er mit jemandem streiten würde. Er hatte uns als Trauzeuge auf unserer Hochzeitsreise nach Mombasa begleitet. Sein kindliches Staunen über das städtische Leben ist mir unvergesslich. In Mombasa erfüllten ihn die vielen halb nackten Touristen und das große Wasser mit Angst. Hier im Busch hingegen ist er sicher der Zäheste der Familie. Dass er hier ist, freut mich besonders. Später erzählt James, dass er trotz Fieber die vier Stunden von seinem Dorf hierher gelaufen ist, um bei meiner Ankunft anwesend zu sein.

Lketinga geht nun auf einen großen gepflegten Kral zu. Er geht uns voraus und ich bin aufs Neue fasziniert, wie dieser Mann sich bewegt. Wir nähern uns einem etwa zehn Meter langen, schmalen, grünen Holzhaus mit Wellblechdach. Es ist das Wohnhaus von James und seiner Familie, wie wir kurz darauf erfahren. Aus allen Richtungen höre ich immer wieder: »Supa, Mama Napirai. Serian a ge? Hallo, Mama Napirai, wie geht es dir?«

Wir durchschreiten das Dornengestrüpp, das unmittelbar neben dem Haus beginnt. Dieses etwa zwei Meter hohe Gestrüpp dient als Umzäunung und Schutz vor wilden Tieren und umgibt das Anwesen der gesamten Familie. Tagsüber wird nur ein schmaler Eingang freigelegt, der am Abend nach der Rückkehr der Tiere sorgfältig verbarrikadiert wird.

Alle paar Meter schüttle ich Hände und schaue in die verschiedensten Gesichter. Die meisten sind Frauen. Alle strahlen mich an und fragen neben dem üblichen »Supa«, ob ich mich noch an sie erinnere. Einige erkenne ich auf Anhieb, bei anderen weiß ich im Moment wirklich nicht, wie ich sie einordnen soll. Eine sehr alte Frau mit zahlreichen Zahnlücken begrüßt mich strahlend und spuckt auf meine Hände, sozusagen als Segnung. Ihr altes, faltiges Gesicht erkenne ich deutlich. Sie ist die Mutter des Mädchens, das ich damals einige Stunden nach der Beschneidung in der Hütte besucht hatte. Es wohnte in unserer Nachbarschaft, wurde mit zwölf Jahren verheiratet und, wie bei den Samburu üblich, am frühen Morgen der Hochzeit diesem schrecklichen Ritual unterzogen. Gerne würde ich diese Frau nach ihrer Tochter fragen, denn ich kann mich sehr gut an sie erinnern. Sie war ein sehr fröhliches Kind. Aber vor allem die älteren Menschen verstehen hier nur die Maa-Sprache, die ich, von ein paar Floskeln abgesehen, leider nicht beherrsche. Plötzlich fühle ich mich hilflos, da ich so viel sagen möchte und doch nur stumm dastehen kann. Mit Mama wird es mir ähnlich ergehen.

James schiebt mich weiter. Im Kral befinden sich noch drei größere Wohnmanyattas sowie zwei kleinere, in denen tagsüber die jungen Zicklein gehalten werden, während ihre Mütter unterwegs auf Grassuche sind. Die Neugeborenen hingegen werden sogar in die Wohnmanyatta mitgenommen. Die Wände einer Manyatta bestehen aus dünnen Holzpfählen, die dicht miteinander verbunden sind. An verschiedenen Stellen blättert getrockneter Kuhdung von den Wänden. Das Dach bilden Ziegenhäute, selbst geflochtene Sisalmatten, einige Säcke und Kartonteile. Alles ist irgendwie ineinander geschichtet, um vor Regen zu schützen. Vor der Hütte liegen meist ein zusammengerolltes Kuhfell, aufgeschichtetes Feuerholz und ovale Weidenholzgeflechte, die bei einem fälligen Umzug als Tragrahmen auf den Rücken von Eseln gebunden werden. Dazwischen muss das gesamte Hab und Gut Platz finden.

Rund um die Manyattas picken Hühner im rotbraunen Sandboden. Ich staune über die Hühnerschar, denn bei den Samburu ist es eigentlich absolut unüblich, Federvieh zu halten. Als ich mit dem ersten Huhn ankam, reagierten alle mit heller Aufregung. Niemand wusste, was ich mit diesem für sie unnützen Tier anfangen wollte. Sie aßen damals weder Hühnerfleisch noch Eier, und Mama sah deshalb nur das Problem, wie sie es vor wilden Tieren schützen könne. Zusätzlich hatte sie die Sorge, dass das Huhn Raubvögel anziehen würde, was für die kleinen Zicklein gefährlich gewesen wäre. Und nun laufen hier mindestens zehn Hühner herum. Als ich James mein Erstaunen mitteile, meint er schmunzelnd: »Du hast uns doch gezeigt, was wir mit diesen Tieren anfangen können! Meine Frau kocht jetzt ab und zu mit Eiern. Was wir nicht essen, verkaufen wir in unserem kleinen Shop den Missionsschwestern.« Schon wieder eine interessante Neuigkeit! Zu Pater Giulianis Zeit gab es keine Schwestern hier.

Mama

James unterbricht meine Gedanken und sagt: »Ich zeige dir alles später, denn jetzt begrüßen wir zuerst Mama. Wir stehen direkt vor ihrer Hütte.« Dabei zeigt er auf eine mannshohe Manyatta. Gerade möchte ich mich bücken und in den kleinen Eingang kriechen, als James mich zurückhält und flüstert: »Nein, nein, lass Mama herauskommen, sonst könnt ihr euch in der engen Hütte und dem beißenden Rauch gar nicht richtig begrüßen, und Mama hat einen Grund, wieder einmal aus der Hütte zu kommen.«

Er spricht ein paar Maa-Sätze in Richtung des Eingangs und dann höre ich, wie sie sich aufrappelt, um kurz darauf in gebückter Haltung aus der Manyatta zu kommen. Endlich steht sie vor mir – nach über vierzehn Jahren! Überwältigt stelle ich fest, dass sie sich in der langen Zeit kaum verändert hat. Ich hatte sie mir viel älter und schwächer vorgestellt. Stattdessen steht mir eine stattliche und überaus würdevolle Mama gegenüber. Wir strecken uns die Hände entgegen und, während diese ineinander greifen, schauen wir uns stumm und doch vielsagend an.

Mein Gott, was hat diese Frau für eine Aura! Ich versuche, in ihren leicht trüben Augen zu lesen. Es entspricht nicht der Kultur der Samburu, sich überschwänglich in die Arme zu fallen und Gefühlsregungen zu zeigen. Starke Gefühle versuchen sie zu unterdrücken und schauen dabei ernst und regungslos vor sich hin. Wir halten uns immer noch an den Händen und es kommt mir wie eine Ewigkeit vor.

Ich möchte ihr so gerne sagen, wie wichtig mir dieser Besuch ist. Dass ich all die Jahre intensiv gehofft habe, ihr eines Tages noch einmal gegenüberstehen zu dürfen. Dass ich sie immer in meine Gebete mit eingeschlossen habe. Dass sie zu den wichtigsten Menschen in meinem Gefühlsleben gehört und noch vieles mehr. Stattdessen stehe ich stumm da und kann nur mit dem Ausdruck meiner Augen und dem Herzen sprechen.

Plötzlich streckt sie ihre rechte Hand aus, ergreift mein Gesicht, drückt zärtlich mein Kinn und flüstert: »Corinne, Corinne, Corinne!« Dabei lächelt sie glücklich. Jetzt ist der Bann gebrochen. Ich umarme sie und kann nicht anders, als ihr einen Kuss auf ihr graues Haupt zu drücken. In diesem Moment bin ich unbeschreiblich glücklich darüber, dass ich den Mut gefunden habe, hierher zurückzukommen. Ich spüre, dass es auch für sie ein sehr bewegender Moment ist.

Für einen kurzen Augenblick schweifen meine Gedanken zu unserer ersten Begegnung zurück. Nachdem ich damals nach langer und abenteuerlicher Suche Lketinga endlich hier in Barsaloi gefunden hatte und wir uns nach einer freudigen Begrüßung in der Manyatta auf dem Kuhfell sitzend aufgeregt und glücklich unterhielten, betrat Mama in gebückter

Haltung ihre Hütte. Sie setzte sich uns gegenüber und schaute mich stumm und, wie mir schien, düster an. Zwischen uns war nur die rauchende Feuerstelle. Wie heute forschten unsere Blicke im Gegenüber und versuchten minutenlang, im Gesicht der anderen zu lesen. Damals brach sie den Bann, indem sie mir ihre Hand zur Begrüßung entgegenstreckte, heute berührte sie mein Gesicht.

Aufgewühlt und ergriffen von der Begegnung mit Lketinga und mit Mama, rede ich nun einfach drauflos, um gegen die aufsteigenden Tränen anzukämpfen. Ich mache ihr Komplimente über ihr gutes Aussehen. Sie hat immer noch ein volles und fast faltenfreies Gesicht. Lediglich etwas kleiner und schmaler ist sie geworden. Ihr Haupthaar ist kurz geschoren und grau, was ihre Augen noch trüber erscheinen lässt. Aufgrund der offenen Feuerstelle in der Manyatta und dem damit verbundenen Rauch hat sie wie viele Samburu Augenprobleme. Neben einigen Schichten farbiger Perlenschnüre am Hals trägt sie als Schmuck Ohrringe aus Glasperlen und Messing. An ihren Armen und Fußgelenken erkenne ich die schmalen Silberreifen von früher, die sich mittlerweile tief ins Fleisch gegraben haben. Zur Hochzeit bekam ich von Lketinga einen ähnlichen Schmuck geschenkt. Ich trug ihn so lange, bis ich schmerzhafte Wunden an den Knöcheln bekam, die monatelang nicht heilen wollten. Noch heute sieht man die Narben.

Mamas Kleidung besteht aus einem alten blauen Kanga, den sie um die Schultern gelegt hat, und einem braunen, an vielen Stellen geflickten Rock. Ich bin froh, dass ich für sie drei neue Röcke in meinem Gepäck habe. James hätte ihr von dem Geld, das wir zur Unterstützung geschickt haben, auch mal einen Rock kaufen können, geht es mir durch den Kopf. Doch solange ein Kleidungsstück noch irgendwie zusammenhält, wird es getragen, und mehr als eines kann man sowieso nicht anziehen, ist die Ansicht zumindest der Alten.

Ich trete zur Seite und so kann auch Albert die Mama respektvoll und herzlich begrüßen. Sie erinnert sich an seinen früheren Besuch und freut sich, ihn wiederzusehen. Klaus dagegen betrachtet sie etwas misstrauisch. Sie kennt ihn ja noch nicht und mit seiner Kamera sieht er für sie bestimmt etwas gefährlich aus. Bei unserer Unterhaltung übernehmen James und Lketinga die Rolle als Dolmetscher. Ich hole die frisch erstandene Decke und überreiche sie Mama. Doch statt sich zu freuen, zieht sie ein finsteres Gesicht und leicht verunsichert frage ich mich, was ihr wohl nicht passt. Es war ihr unangenehm, erfahre ich später, dass andere Leute sehen, welche Geschenke sie bekommt, weil das nur Neid und Unruhe verursacht.

Um sie aufzuheitern, suche ich in meinem Rucksack das kleine Album mit den Fotos von Napirai, das ich speziell für sie und Lketinga zusammengestellt habe. Beim Einsortieren hatte ich mit den neuesten Fotos begonnen, und je weiter man nach hinten blättert, desto jünger wird Napirai. Sofort lassen sich Mama und Lketinga nieder und schauen sich die Bilder an. Der Vater staunt über seine große Tochter und lacht: »Sie ist ja so lang wie ich.« Mama fragt bei jedem Foto, ob dies immer noch Napirai sei. Irgendwie kann sie die vielen verschiedenen Situationen, die ich bewusst ausgesucht hatte, nicht richtig einordnen. Doch je jünger Napirai auf den Fotos wird, desto lebendiger wird Mama. Mittlerweile beugen sich zehn oder mehr Köpfe über das kleine Album. Alle wollen Napirai sehen. Auch Papa Saguna, Lketingas älterer Bruder, schaut interessiert zu und lacht einmal herzlich auf, sodass ich seine tadellos weißen Zähne und die strahlenden Augen sehen kann. Als das Foto auftaucht, auf dem meine Tochter mit einigen Ziegen abgebildet ist, wird aufgeregt diskutiert. Bei den letzten Aufnahmen streicht Mama zärtlich über die Bilder und sagt: »Ja, jetzt erkenne ich das kleine Mädchen wieder, meine kleine Napirai.« Dabei lacht sie mich glücklich an. Nach dem letzten Foto klappt sie das Album zu, versteckt es unter ihrem Kanga und bedankt sich mit den Worten: »Asche oleng.«

Eine große Familie

Nun fordert James uns auf, in sein Haus zu kommen, damit er seine Familie vorstellen kann. Seine Frau habe Chai, den traditionellen, sehr süßen Tee mit Ziegenmilch, vorbereitet. Von Mamas Manyatta sind es nur etwa zwanzig Schritte bis zum Eingang seines bescheidenen Hauses. Davor tummeln sich einige Kinder, die gespannt jeden unserer Schritte verfolgen. Im Eingang erscheint eine hübsche, mollige, junge Frau. James stellt sie als seine Frau, Mama Saruni, vor. Saruni, ein dreijähriges, sehr quirliges Mädchen, ist ihre erstgeborene Tochter.

Eheleute sprechen sich bei den Samburu nie mit dem Vornamen an. Geschieht dies einmal aus Versehen, muss der Sünder dem anderen eine Ziege schenken. Vornamen gelten als etwas sehr Persönliches. Wenn ein Paar noch keine Kinder hat, nennen sie sich »mparatut« – Ehefrau und »lepayian« – Ehemann. Sobald ein Kind da ist, wird man von der Gemeinschaft mit Mama oder Papa und dem Namen des Kindes gerufen. Nur wenn jemand nicht anwesend ist, darf man seinen Namen aussprechen. Fremden gegenüber redet man nur über Familiennamen und von wessen Vater und Mutter man abstammt.

Diese seltsame Sitte der Namensnennung bringt mich nun in eine gewisse Verlegenheit, denn ich weiß nicht so recht, wie ich Lketinga anreden soll. Früher nannte ich ihn immer »Darling«, was heute fehl am Platz wäre. Auch »lepayian«, Ehemann, möchte ich ihn nicht nennen, denn wir sind ja geschieden und ich will keine falschen Erwartungen provozieren. »Papa Napirai« wäre vielleicht eine Möglichkeit, doch will mir dies kaum über die Lippen. Es wird nicht einfach sein, über zwei, drei Meter Entfernung eine Unterhaltung mit ihm zu beginnen. Wohl oder übel werden wir immer zueinander hinlaufen, uns anschauen oder uns gegenseitig am Ärmel zupfen müssen, um Aufmerksamkeit zu erlangen und miteinander reden zu können.

James' Frau finde ich auf Anhieb sehr sympathisch. Auf den ersten Blick würde ich sie nicht für eine Samburu halten. Wie James hat sie eine Schule besucht. Sie trägt keinen traditionellen Halsschmuck, sondern eine modische feine Kette aus schwarzen und goldenen Perlen und ihr Haar ist nicht rasiert, wie das bei den Frauen hier üblich ist, sondern auf eine freche, raffinierte Art mit einem Kopftuch geschmückt. Sie ist modern gekleidet mit einem Strick-Twinset und einem dunkelroten Rock. James und sie heben sich vom Rest der Familie ab, als lebten sie in einem anderen Zeitalter. Auf einem Arm trägt sie ihr jüngstes Baby, während sie uns mit der freien Hand begrüßt. Trotz ihres modernen Aussehens wirkt sie schüchtern, denn sie spricht leise und schaut uns nur einen kurzen Moment an.

Wir betreten das Wohnzimmer, einen geräumigen, mit schlichten Holztischen, Stühlen und Hockern eingerichteten Raum. Die Wände sind mit unterschiedlichsten Dingen dekoriert. Neben zwei Hochzeitsbildern, auf denen James wie ein traditioneller Krieger geschmückt zu sehen ist, hängt ein Bild von ihm, das ihn mit dunklem Anzug und Krawatte zeigt. Was für Gegensätze! Ein Foto von einigen kenianischen Ministern, ein riesiges Poster der brasilianischen Fußballmannschaft und ein an einen Nagel gesteckter Teddybär neben einem christlichen Kreuz an der Wand bilden Kontraste, die mich innerlich schmunzeln lassen. Mit mitteleuropäischen Augen betrachtet, wirkt alles sehr spärlich und teilweise komisch. Wenn ich mich allerdings an unser Leben in der Manyatta erinnere, kommt mir dieser Raum nahezu feudal vor.

Ich setze mich auf einen der Schemel und Lketinga lässt sich an der anderen Seite des Tisches nieder. Er schlägt seine langen Beine übereinander und umfasst mit seinen schlanken Händen den dünnen Stock, ohne den er nirgendwo hingeht. Er ist wohl eine Art Speerersatz. Seine ganze Art wirkt würdevoll und irgendwie auch feminin. Ich bin sehr froh, ihn in so guter Verfassung zu sehen, denn schließlich ist und bleibt er der Vater meiner Tochter, und sie soll stolz auf ihn sein. Er schaut mich unentwegt an.

Mein Blick schweift durch das Zimmer, während James' Frau Teetassen aus Emaille und Thermoskannen auf den Tisch stellt. Ich komme aus dem Staunen nicht mehr heraus. Thermoskannen! Auf diese Weise können sie den zubereiteten Tee lange warm halten. In diesem Fall erweist sich Plastik als wirklicher Fortschritt! Feuerholz ist rar, und wenn ein Feuer schon mal brennt, können sie den Tee gleich für den ganzen Tag aufbrühen, ohne nochmals Holz zu verschwenden.

Während ich mich mit Lketinga unterhalte, führt James mit Albert, Klaus und unseren staunenden Fahrern ein Gespräch. Neben Lketinga kauert sein älterer Bruder an der Wand und hört dem ungewohnten englischen Wortschwall zu. Ich bitte Lketinga, ihm zu übersetzen, dass ich Saguna so gerne sehen und ihr persönlich mein Geschenk überreichen würde. Papa Saguna erklärt, dass seine Tochter täglich mit den Kühen unterwegs ist. Er werde aber morgen nach Hause zurückkehren und sie beim Hüten der Kühe ablösen, damit Saguna übermorgen hierher kommen kann. Ich freue mich sehr, das kleine Mädchen von damals wiederzusehen. Mit Mama und mir wohnte sie in derselben Manyatta. Am Anfang hatte sie Angst vor meinem weißen Gesicht. Später dagegen wurde sie jedes Mal vor Sehnsucht krank, wenn ich für ein paar Tage wegen einer Einkaufstour unterwegs war und aß erst wieder, wenn ich zurückkam. Wenn ich zum Fluss ging, um Wasser zu schöpfen oder Kleider zu waschen, nahm ich sie manchmal mit. Dann badete sie in einer Pfütze und quietschte vor Vergnügen. Einmal brachte ich ihr aus der Schweiz eine braune Puppe mit, die anfänglich bei den Dorfbewohnern beinahe einen Aufstand verursachte, da sie dachten, es handle sich um ein totes Baby. Nun bin ich sehr gespannt, wie Saguna heute aussieht und ob sie sich noch an mich erinnern kann.

Ich schlürfe den heißen süßen Tee und fühle, wie ich langsam ruhiger werde. Dieser Tee löst in mir ein Heimatgefühl aus. Klaus findet ihn scheußlich und auch Albert zieht eine Wasserflasche aus dem Auto vor, während er mir wie der beste Champagner vorkommt. Häufig war dieses Getränk über Tage hinweg das einzige Nahrungsmittel, das uns zur Verfügung stand.

Draußen vor dem Eingang sitzen zwei jüngere Mädchen am Boden und ich frage Lketinga nach Napirais Halbschwester. Er dreht sich um und spricht zu den zwei Kindern. Eine der beiden kommt schüchtern in den Raum. Sofort erkenne ich eine gewisse Ähnlichkeit mit meiner Tochter, vor allem um die Augen- und Stirnpartie. Lächelnd winke ich ihr zu, doch sie wagt sich nicht bis zu mir. Lketinga spricht in einem energischen Ton mit ihr und nun gibt sich das scheue Mädchen einen Ruck und begrüßt mich, ohne aufzublicken. Napirai war und ist bis heute auch eher ein scheues Kind. Ob das wohl an den Genen liegt? Shankayon hat die markante Nase ihres Vaters, während Napirai eindeutig die eher runde Nase ihrer afrikanischen Großmutter geerbt hat.

Lketinga erklärt, dass seine Tochter zur Schule geht und macht dabei eine leicht abschätzige Handbewegung. Schule hat für ihn nichts mit dem richtigen Leben zu tun, und deshalb finde ich es bemerkenswert, dass er dennoch seinem bisher einzigen Kind hier in Afrika diese Möglichkeit bietet. Nach wie vor bestimmt nämlich der Vater, ob ein Kind zur Schule gehen darf, obwohl unter der neuen Regierung die Schulpflicht eingeführt wurde. Die hübsche Shankayon ist mit acht Jahren für ihr Alter sehr groß. Neben ihr hüpft die dreijährige Saruni vorbei und bestaunt uns unverhohlen und neugierig.

Ihr Vater James erzählt stolz, dass außer dem älteren Bruder die gesamte Familie hier im Kral zusammenlebt. Selbst Mama sei von der anderen Seite des Dorfes, wo wir früher gelebt hatten, herübergekommen, um näher bei ihnen zu sein.

Überhaupt gebe es auf dem Hügel keine Manyattas mehr, sondern alle seien ins Dorf gezogen. Verwundert frage ich nach dem Grund. Da antwortet James lachend: »Du siehst doch, wie sich Barsaloi vergrößert und verändert hat. Heute haben wir hier im Dorf eine Wasserstelle, wo immer sauberes Trinkwasser aus einem Rohr fließt. Niemand geht mehr den weiten Weg, um Wasser am Fluss zu holen.«

Ich kann nur immer wieder staunen, wie viel sich in den vierzehn Jahren getan hat. James deutet auf den Hof und zeigt uns ein kleines Gebäude aus Wellblech. »Das ist unser Bad und unsere Toilette«, erklärt er voller Stolz. Wie ich später feststellen kann, ist die Toilette ein einfaches Stehklo und das Bad ist ein kahler Raum, in dem ein rotes Plastikwaschbecken am Boden steht. So einfach diese »Nasszelle« auch ist, bin ich froh, nicht mehr im Busch verschwinden und anschließend noch das gebrauchte Toilettenpapier verbrennen zu müssen. Zwischen einer Akazie und dem Toilettenhäuschen hängt Wäsche zum Trocknen an einer Leine. Ja, von diesem Kral geht etwas Friedliches aus. James hat wirklich alles gut organisiert.

Lketinga unterbricht meine Gedanken, indem er fragt: »Weißt du, wie viele Shops jetzt hier sind?« Ich schüttle den Kopf und schaue ihn erwartungsvoll an. »Vierzehn Shops, drei Metzgereien und eine Bierbar gibt es heute in Barsaloi, verrückt, oder?« Das ist allerdings eine große Überraschung. War ich doch vor siebzehn Jahren die Erste, die einen vernünftigen Lebensmittelladen auf die Beine gestellt hatte. Wenn wir ausverkauft waren, gab es in ganz Barsaloi und Umgebung keine Möglichkeit, etwas zu erwerben. Zu hören, dass es heute immer genügend Lebensmittel gibt, freut mich sehr. Alles, was ich in der kurzen Zeit unseres Hierseins gesehen und gehört habe, vermittelt den Eindruck, dass das zwar nach wie vor karge und harte Leben wesentlich leichter geworden ist. Sicherlich geht es auch meiner afrikanischen Familie durch die finanzielle Unterstützung unsererseits über all die Jahre hinweg um einiges besser als vielen anderen.

Als ob Lketinga meine Gedanken erraten hätte, schaut er mich an und sagt: »Really, das Leben ist jetzt viel besser. Vielleicht willst du ja wieder hier bleiben?« Dabei lacht er und seine weißen Zähne blitzen. Etwas verlegen und doch schelmisch entgegne ich: »Du hast doch schon wieder eine junge Frau geheiratet. Wo ist sie denn?« Sofort wird er ernst, macht eine unwillige Armbewegung und antwortet knapp: »I don't know – somewhere!« Offensichtlich möchte er nicht über sie sprechen und deshalb wechsle ich das Thema.

Im Türrahmen lässt sich ab und zu der kleine zweijährige Sohn von James blicken. Zu Ehren meines Verlegers wurde er auf den Namen Albert getauft. Die Namensgleichheit jedoch scheint wenig Eindruck auf ihn zu machen, denn sobald ihn ein weißes Gesicht anschaut, weint er los oder rennt davon. Seine Schwester Saruni dagegen ist viel zutraulicher. In Etappen schleicht sie langsam auf mich zu. Sie ist so niedlich, dass ich sie am liebsten sofort auf den Arm nehmen möchte. Sie erinnert mich sehr an Saguna.

Stefania – mittlerweile haben wir erfahren, dass James' Frau so heißt – steht in dem schmalen Raum neben dem Eingang, der als Kochstelle dient. Unaufgefordert spricht sie nichts. In der »Küche« befindet sich lediglich eine Feuerstelle, allerdings nicht am Boden wie normalerweise üblich, sondern etwas erhöht, so dass sie im Stehen kochen kann. Rund um die zementierte Kochstelle ist eine kleine Ablagefläche, links an der Wand hängen einige Töpfe, Tassen und Teller. Das Wasser steht in einem 20-Liter-Kanister am Boden.

James fragt, ob wir Hunger haben, doch Lketinga protestiert sofort energisch: »No, ihr müsst nachher eine Ziege essen. Ich schlachte die beste und größte für euch.« Albert bemerkt, das müsse wirklich nicht sein, und verzieht als ehemaliger Vegetarier und Tierliebhaber sein Gesicht. Aber James erwidert bestimmt: »Doch, das muss sehr wohl sein. Was sollen denn die Leute denken, wenn wir zu deiner Rückkehr nicht die allerbeste Ziege schlachten!« Beim Anblick der leicht betretenen Gesichter von Albert und Klaus muss Lketinga lauthals lachen. Bis die Herde jedoch am Abend zurückkommt, wird es noch etwa zwei Stunden dauern. Diese Zeit sollten wir nutzen, um unsere Schlafplätze zu erkunden, bevor die jähe Dunkelheit hereinbricht.

Unser Lager

Wir marschieren zur nahe gelegenen Mission. Auf dem Weg muss ich ständig Hände drücken und höre immer wieder: »Mama Napirai! Supa! Serian a ge?« Es ist wirklich beeindruckend, wie ich empfangen werde nach all den Jahren. In der Mission erkenne ich den Wachmann und eine Angestellte wieder. Wie wir bereits wussten, ist Pater Giuliani nicht mehr hier. Stattdessen begrüßt uns ein junger kolumbianischer Pater und heißt uns auf seinem Gelände herzlich willkommen. Natürlich hat er nichts dagegen, wenn wir unsere Zelte hier oben für ein paar Tage aufstellen. Er verwaltet die Mission seit ein paar Jahren und hat schon von der weißen Massai gehört.

Unsere Wagen werden auf das Missionsgelände gefahren und auf einer ebenen Fläche geparkt, da auf jedem Autodach ein Zelt errichtet wird. Die Fahrer beginnen sofort mit dem Aufbau und eine halbe Stunde später sind die Übernachtungsmöglichkeiten für meine Reisebegleiter geschaffen.

Als die Fahrer gerade dabei sind, ein Bodenzelt für mich aufzustellen, kommt Lketinga dazu. Mit großen Augen schaut er auf die Dachzelte und fragt irritiert: »What is this?« Ich lache und erkläre ihm, dass dies die »Häuser« für Albert und Klaus sind. Wie immer, wenn ihm etwas neu und ungewohnt vorkommt, schüttelt er den Kopf und brummt: »Crazy, really crazy! Wie kann man da oben nur schlafen?« Vorsichtig steigt er an einer der beiden Leitern ein paar Stufen hoch und steckt den Kopf ins Zelt. Schon hören wir ein glucksendes Lachen und seinen belustigten Kommentar: »Yes, oh yes, das sieht wirklich gut aus!«

Sicher hat er noch nie ein Zelt gesehen und erst recht keines auf einem Autodach. Mir ist bewusst, dass ihm die ganze Situation höchst ungewöhnlich erscheinen muss. Bei den Samburu ist es schließlich nicht üblich, dass Gäste ihr eigenes Haus mitbringen. Wenn sie unterwegs sind, können sie überall um Unterschlupf bitten. Es gilt nur, bestimmte Regeln einzuhalten. So kann ich mich erinnern, dass mein Ex-Mann nur bei Frauen übernachten durfte, die einen Sohn in seiner Altersstufe hatten. Wahrscheinlich ist dies eine Sitte, um dem Fremdgehen vorzubeugen.

Nachdem Lketinga die Dachzelte inspiziert hat, fragt er besorgt, wo ich denn schlafen werde, ob hier oder in der Manyatta von Mama. Ich deute auf die Fahrer, die gerade dabei sind, mein Zelt aufzustellen, und antworte: »Die erste Nacht schlafe ich in diesem Zelt, bis ich mich etwas eingewöhnt habe. Dann würde ich gerne eine Nacht bei der Mama verbringen.« »Okay, no problem«, meint er gelassen, dann geht er zu den Fahrern und hilft beim Aufbau des Zeltes.

Staunend beobachte ich ihn dabei, denn für die Samburu ist der Hausbau ausschließlich Sache der Frauen. Sie fällen und schleppen die dicken und dünnen Äste für das Grundgerippe einer Manyatta. Anschließend wird Kuhdung und Lehm gesammelt und zum Verputzen der Wände und dem Dach eingesetzt. Dafür gehört das Haus – einschließlich allem Hausrat – immer den Frauen. Männer besitzen keine Häuser.

Als junge Männer lernen sie in den Jahren als Krieger das Überleben im Busch ohne eine eigene Manyatta. Nach der Beschneidung verlassen sie das Haus ihrer Mutter und leben in einer Männergemeinschaft irgendwo im Busch. In dieser Zeit übernachten sie größtenteils im Freien draußen bei den Kühen. Wenn es regnet, spannen sie sich ein Kuhfell über die Häupter und warten, bis die Sonne wieder scheint und sie ihre Kangas trocknen können. Allenfalls ein paar persönliche

Gegenstände können sie in der Hütte ihrer Mutter aufbewahren und nach einer längeren Zeit auch ab und zu dort übernachten. Doch dürfen sie nicht einmal vor der eigenen Mutter etwas essen. Beschnittene, das heißt verheiratete Frauen dürfen niemals das Essen eines Kriegers vorher gesehen haben.

Gestern Abend erzählte uns James in der Maralal Lodge, wie schwer für ihn diese Kriegerzeit war. Da er kaum in einer Manyatta aufgewachsen ist, sondern in der Schule lebte, schlief er mit seinen Schulkameraden in normalen Zimmern. Als er dann mit siebzehn Jahren kurz nach der Beschneidung ebenfalls für einige Monate in den Busch ziehen musste, um Kühe zu hüten und traditionelle Rituale durchzuführen, war dies ziemlich ungewohnt für ihn. Vor allem die Nächte waren hart. Mit einem Mal lag er draußen auf einem Kuhfell und fand wegen der ihm unbekannten Geräusche kaum Schlaf. Jedes Mal, wenn er wach wurde, versuchte er vergeblich, nach Wänden zu tasten.

Mittlerweile steht auch mein Igluzelt und Lketinga steckt gerade den letzten Hering in die Erde. Ich bin bewegt und gerührt, wie hilfsbereit er mit angepackt hat. Früher sagte er bei ihm ungewohnten Arbeiten oft: »Ach, ich weiß nicht, wie das geht, mach es doch selber!« Wir beginnen, unser Gepäck zu sortieren und ich schleppe meine zwei großen Reisetaschen in meine Behausung. Es dauert nicht lange und Lketinga steckt seinen Kopf herein, zeigt auf eine der Taschen und fragt: »Hast du für mich Geschenke dabei? Hat dir James geschrieben, was ich möchte?« Dabei macht er ein Gesicht wie ein Junge vor dem Weihnachtsbaum. Ich muss lachen und teile ihm stolz mit, dass eine der beiden Taschen ausschließlich Geschenke für die Familie enthält. Er müsse sich jedoch etwas gedulden, da ich die Geschenke erst morgen in Ruhe verteilen möchte, wenn uns nicht mehr so viele Zuschauer beobachten. Diesem Argument kann er sich nicht verschließen. Kurz vor Einbruch der Dunkelheit brechen wir auf und tragen gemeinsam die schwere Tasche zum Kral, wo uns James bereits erwartet.

Im Kral

Mittlerweile sind mindestens sechzig meist weiße Ziegen in den Kral zurückgekehrt und es herrscht rege Betriebsamkeit. Die kleinen Zicklein schreien nach ihren Müttern, die wiederum blökend im Kral herumrennen, wenn sie nicht gerade gemolken werden. Überall sind Frauen oder Mädchen dabei, Ziegen zu melken. Sie klemmen sich jeweils ein Hinterbein der Ziege in ihren Schoß, halten eine Emailletasse oder eine Kalebasse unter den kleinen Euter und melken, während das dazugehörige Zicklein an der anderen Zitze saugen darf.

Diese Zeit, wenn Tiere und Menschen nach Hause kommen, ist die schönste und lebendigste in einem Kral. Mama setzt sich immer eine halbe Stunde, bevor die Ziegen nach Hause kommen, erwartungsvoll vor die Manyatta. Meistens sitzen mehrere Frauen bei ihr. Sobald sie die erste gemolkene Milch bekommen hat, bereitet sie Chai für das Hütekind zu und anschließend kocht sie für zahlreiche Kinder und sich selbst Ugali – das immer gleiche Abendessen.

Klaus filmt die verschiedenen Szenen im Kral. Als die Kinder mitbekommen, was er macht, werden sie nach und nach zutraulicher und führen ihm Kunststücke vor, indem sie die kleinen Zicklein einfangen und auf dem Arm herumtragen. Sogar die dreijährige Saruni springt hinter einem Geißlein her, packt es am hinteren Lauf, schlingt gekonnt ihre kleinen Ärmchen um alle vier Beine, stemmt anschließend das Tierchen in die Höhe und schaut Klaus triumphierend an. Er weiß bald nicht mehr, wo er zuerst filmen soll. Als er den Kindern dann noch auf seinem kleinen Monitor die Filmaufnahmen zeigt und sie sich zum ersten Mal so sehen, sind sie ganz aus dem Häuschen. Innerhalb kürzester Zeit ist er umlagert von Groß und Klein und jeder möchte einen Blick auf den kleinen Bildschirm der Kamera werfen. Die Neugier ist stärker als die Scheu und das Eis ist gebrochen.

Während ich dem lustigen Treiben zuschaue, kommt plötzlich Lketingas jüngere Schwester auf mich zu. Sie begrüßt mich überschwänglich. Sie war mit einem Teil der Ziegen unterwegs und ist erst jetzt zurückgekommen. Natürlich fragt sie nach Napirai und auch ihr muss ich alles über mein Kind erzählen. Ich mochte sie immer sehr gerne. Sie wurde als junges Mädchen mit einem sehr alten Mann verheiratet. Als sie ihr erstes Kind bekam, starb er. Seitdem lebt sie allein und bekam noch einige Kinder, ohne jedoch jemals wieder heiraten zu dürfen. Sie war immer sehr lustig und scheint es auch heute noch zu sein. Immer wieder umarmt sie mich und reibt ihren Kopf an meinem Hals.

Lketinga kommt herbei und unterbricht die Gefühlsausbrüche seiner Schwester, indem er meinen Arm packt, mich hinter sich herzieht und in ernstem Ton sagt: »Schau, welche Ziege ich für dich schlachten werde!« Papa Saguna und James gehen bereits diskutierend durch die große Herde und schieben da und dort eine Ziege zur Seite. Lketinga mischt sich ins Gespräch ein und wir drei Weißen fühlen uns angesichts des baldigen Todesurteils etwas hilflos. Schon ist die Entscheidung gefallen. Es soll der größte Ziegenbock sein.

Lketinga packt das Tier an den Hörnern und zieht es aus der Herde. Zuerst läuft es ruhig mit, doch plötzlich blökt es lauthals los. Das Schreien geht einem durch Mark und Bein. Während die anderen Ziegen wiederkäuend dastehen, versucht sich der Bock zu befreien, als ob er ahnen würde, dass sein letztes Stündchen geschlagen hat. Albert verlässt den Kral und möchte erst wiederkommen, wenn alles vorbei ist.

Lketinga packt im Vorbeigehen mit seiner freien Hand erneut meinen Arm und sagt: »Komm mit und schau zu, es ist deine Ziege!« Ich weiß, dass es eine Ehre ist, als Frau dabei sein zu dürfen, und lasse mir nichts anmerken, während ich das Tötungsritual verfolge. Papa Saguna packt mit einem gekonnten Griff das Tier an allen vier Beinen und wirft es seitwärts auf den Boden. Sofort presst Lketinga dem Ziegenbock Nase und Maul zu, um ihn zu ersticken. Das Tier zuckt und ruckt und schluckt und möchte sich befreien. Der Bauch hebt und senkt sich und ich habe das Gefühl, es dauert eine Ewigkeit. Gott sei Dank ist es bereits dunkel und nur der Mond erhellt das Geschehen. Es ist Samburu-Sitte, dass kein Blut fließen darf, bevor ein Tier tot ist.

Während dieses Ersticken lautlos vor sich geht, läuft das Leben rund herum normal weiter. Einige Kinder jagen weiterhin kleine Zicklein, während andere das Ereignis gelassen beobachten. Endlich zuckt die Ziege zum letzten Mal und Papa Saguna bittet Shankayon, ein scharfes Messer und eine Schale zu holen. Er schärft das Messer an einem Stein und öffnet anschließend mit einem gekonnten Schnitt die Halsschlagader. Sofort fließt das Blut und die dafür unterlegte Schale füllt sich langsam mit der warmen Flüssigkeit, während der Kopf der Ziege weit nach hinten gekippt gehalten wird. Die gelben Augen des Tieres sind starr zum Himmel gerichtet.

Neckisch fragt Lketinga, ob ich Blut trinken wolle. Als ich dankend ablehne, bietet er es auch Klaus an, der allerdings bereits von dem, was er bisher gesehen hat, genug hat. James trägt die Schale weg und im dunklen Hintergrund erkenne ich undeutlich zwei Krieger, die ihm folgen. Verwundert frage ich Lketinga, warum er das Blut nicht trinke. »Weil ich kein Krieger mehr bin«, ist die spontane Antwort. Jetzt hievt er das tote Tier auf ein Wellblech und sein älterer Bruder trennt das Fell an der Innenseite der Bauchdecke von der Brust bis zu den Geschlechtsteilen mit einem Schnitt auf. Anschließend schneidet er die vier Beine der Länge nach auf. Die kleinen Mädchen helfen ihm dabei. Die eine hält eine Taschenlampe, die andere das jeweilige Bein.

Jetzt beginnt die Häutung der Ziege. Dazu braucht er kein Messer mehr. Mit der einen Hand zieht er an dem Fell, während er mit der anderen den toten Körper nach unten drückt.

So löst sich das Fell schnell und problemlos vom Fleisch. Fasziniert sehe ich zu, da diese Szene ohne Blutvergießen vor sich geht. Es dauert keine zwanzig Minuten, bis das Tier vollständig enthäutet vor uns liegt. Nun wird der Bauch geöffnet und Gedärme und Innereien quellen heraus. Papa Saguna trennt alles säuberlich und legt die einzelnen Teile auf das Wellblech. Da ich von früher weiß, wie schrecklich der Darminhalt riecht, entferne ich mich nun auch. Schließlich will ich später ja noch von diesem Fleisch essen.

Ich setze mich zu den anderen ins Haus und trinke heißen Chai aus der Thermoskanne. Der kleine Albert rennt sofort wieder hinter seine Mutter und schaut mich mit erschreckten Augen an. James beginnt zu erzählen, wie die Einheimischen hier in Barsaloi reagiert haben, als ich nicht sofort im Dorf erschienen bin. »Weißt du, die meisten glaubten sowieso nicht, dass du nach vierzehn Jahren wieder hierher kommen würdest. Als dann nur Klaus ausgestiegen ist, dachten sie, dies sei der Beweis dafür. Jetzt erscheint ein Mzungu, um mitzuteilen, dass Corinne doch nicht kommen wird. Aber ich beruhigte sie und erklärte ihnen, dass du noch die Schule besuchst. Dann hörte ich, wie sich die Leute unterhielten und zueinander sagten: Sie kommt wie eine Königin mit zwei Wagen, die noch dazu von Chauffeuren gelenkt werden. Zuerst erscheint nur ein Auto, aus dem ein Weißer aussteigt, um die Situation abzuklären und um eine Kamera aufzustellen. Erst eine ganze Weile später erscheint sie dann selbst. Für alle war klar: Only a Queen is moving in this way.«

Wir brechen in lautes Gelächter aus. Mit einer Königin verglichen zu werden, habe ich nun wirklich nicht erwartet, obwohl mir natürlich klar war, dass wir mit zwei so großen Geländewagen einschließlich Fahrern Aufsehen erregen würden. Schließlich kannten sie mich als Selbstfahrerin in unserem klapprigen Land Rover. James wiederholt die Geschichte ein paar Mal und erntet immer fröhliche Heiterkeit. Heute Nachmittag habe er auch gehört, dass sogar die Leute, die mich nicht gekannt, sondern nur von mir gehört haben, sich über meinen Besuch freuen.

Draußen, wo der Vollmond und Tausende von Sternen den Nachthimmel erleuchten, ist von der Ziege nichts mehr zu sehen. Stattdessen sitzt Lketinga bereits an einer Feuerstelle und grillt einige Fleischstücke auf einem Rost. Es ist genau festgelegt, welche Teile die älteren Männer bekommen, welche Stücke an die Frauen gehen und welche wiederum von den unbeschnittenen Mädchen und Jungen gegessen werden dürfen. Ich erinnere mich, dass die Innereien, die Füße und der Kopf immer bei Mama in der Manyatta gekocht wurden. Ich setze mich zu Lketinga ans Feuer und schaue auf die brutzelnden Fleischstücke. Kaum zu glauben, dass diese Ziege vor einer Stunde noch quicklebendig vor uns stand.

Wir versuchen uns zu unterhalten, aber es ist nicht ganz einfach, den passenden Gesprächsstoff zu finden. Als ich mit ihm über mein Buch sprechen möchte, blockt er ab und meint: »Später, nicht jetzt.« Versuche ich, etwas über die Zeit nach meinem Weggang zu erfahren, sagt er: »Über die Zeit in Mombasa möchte ich nicht mehr sprechen, sonst werde ich gleich wieder verrückt. Ich habe mein Leben völlig geändert. Ich trinke nicht mehr und bin zufrieden. Ich habe drei Frauen und keine Probleme.« Na ja, mich kann er eigentlich nicht mehr als seine Frau betrachten, doch im Moment möchte ich keine Diskussion darüber anzetteln. So erzähle ich ihm von unserer Tochter Napirai, was sie in der Schule macht, welche Fächer sie liebt und welche nicht. Dass sie vielleicht lieber arbeiten möchte, als jahrelang zur Schule zu gehen. Das versteht er natürlich sofort und stellt fest: »Yes, she is clever like me.«

Auch in den Manyattas wird Fleisch zubereitet, überall quillt Rauch heraus. Allmählich verspüre ich einen richtig guten Appetit und freue mich darauf, in ein großes, wenn auch sicher eher zähes Stück Fleisch zu beißen. Endlich ist es so weit. Wir sitzen in James' Haus und auf dem Tisch steht ein Blechtopf gefüllt mit vielen Fleischteilen. Jeder greift zu. Die einen nagen an Rippenknochen, andere beißen kräftig in ein Schenkelstück. Mir schmeckt es ausgesprochen gut, während Albert und Klaus nur so viel verzehren, wie es die Höflichkeit erfordert.

Nach dem reichhaltigen Ziegenschmaus machen wir uns langsam auf den Weg zu unseren Schlafplätzen. Von den vielen Eindrücken und der langen Reise sind wir müde und erschöpft. Lketinga begleitet uns bis zur Mission, wo wir uns für morgen zum Tee verabreden.

Albert, Klaus und ich setzen uns noch einen Augenblick auf unsere Campingstühle, um das Erlebte Revue passieren zu lassen. Die Fahrer machen auf den gefüllten Kühlschrank im Wagen aufmerksam und so ist es schnell beschlossene Sache, einen Gin Tonic zum Abschluss des Tages zu trinken. Wir sind nur wenige Schritte vom Dorf entfernt und dennoch kommt es mir vor, als sei ich soeben wieder in eine andere Welt eingetaucht. Ich sitze bequem auf einem Campingstuhl, halte einen gekühlten Drink in der Hand, sehe in zwei weiße Gesichter und spreche deutsch. Für einen Moment kommt mir alles unwirklich vor. Aus solch einer Perspektive habe ich Barsaloi noch nie erlebt!

Klaus reißt mich aus meinen Gedanken, indem er zu erzählen beginnt, wie seine Begegnung mit Lketinga verlaufen ist, bevor wir ins Dorf gekommen sind. Als er aus dem Wagen stieg, erkannte er in einiger Entfernung unter einer Akazie Lketinga. James stand bei ihm, wechselte ein paar Worte mit ihm und verschwand dann in seinem Haus. Klaus kam sich etwas verloren vor und wusste nicht so recht, wie er sich verhalten sollte. Mutig schulterte er seine Kamera und ging auf Lketinga zu. Als er versuchte, sich vorzustellen, musterte ihn Lketinga kurz mit regungslosem Gesichtsausdruck, um gleich darauf, ohne ein Wort zu sagen, weiterhin stur die Straße in Richtung Fluss hinunterzuschauen. Klaus kam sich vor wie bestellt und nicht abgeholt. Nach einer Weile, die ihm wie eine Ewigkeit vorkam, hörte er in vorwurfsvollem Ton: »You are late!« Erleichtert, vielleicht endlich in ein Gespräch kommen zu können, begann er eifrig, unsere Verspätung zu erklären, wurde jedoch ungnädig unterbrochen: »I know everything.« Dabei traf ihn ein vernichtender Blick. Jetzt wurde es ihm wirklich unheimlich und er dachte sich: Oh Gott, was ist, wenn Corinne hier aussteigt? Wie können wir das hier mehrere Tage aushalten, wenn er jetzt schon so reagiert? Nach weiteren langen Minuten hörte er in einem milderen Ton die Frage: »Do you have a cigarette?«

»Ihr glaubt gar nicht, wie befreiend diese Frage in der Situation war. Ich war so froh, ihm etwas Gutes tun zu können. Nachdem er sich die Zigarette angesteckt hatte, sagte er: ›Let's go in the shadow.‹ Da standen wir dann stumm nebeneinander im Schatten der Akazie. Ich kann euch versichern, dass ich schon lange nicht mehr so sehnsüchtig auf jemanden gewartet habe wie heute auf euch!«, beendet Klaus seine Erzählung, die uns vor Lachen Tränen in die Augen treibt. Die beschriebene Haltung meines Ex-Mannes und seinen misstrauischen starren Blick kann ich mir lebhaft vorstellen, so dass mir Klaus noch im Nachhinein Leid tut.

Abgesehen von dieser Episode sind wir uns alle einig, dass der heutige Empfang und auch das Verhalten von Lketinga unsere positivsten Erwartungen übertroffen haben. Ich bin glücklich und nehme einen letzten Schluck. Die Herren klettern auf die Autos und verschwinden in ihren Zelten. Ich krieche in mein Igluzelt und richte mich mit dem Schlafsack gemütlich ein. Draußen sitzen die Fahrer und unterhalten sich noch leise. Im Dorf blöken vereinzelt Ziegen und dazwischen bellt kurz ein Hund. Die Menschenstimmen hören sich auf die Distanz wie ein Gemurmel an. Allzu gerne würde ich wissen, was Mama, Lketinga und alle anderen über uns denken und wie sie unseren ersten gemeinsamen Tag erlebt haben. Ich für meinen Teil bin sehr froh über die bis jetzt gelungene Rückkehr und spüre eine wohlige innere Wärme. Ob sie es auch so empfinden?

In Mamas Manyatta

Am nächsten Morgen bin ich schon zeitig wach. Etwas gerädert krieche ich aus dem Zelt und beobachte, wie der rote Sonnenball langsam hinter den Bergen auftaucht. In unserem Camp ist noch alles ruhig. Ich »wasche« mich mit Erfrischungstüchern und genieße den Sonnenaufgang. Bald erwachen auch meine Begleiter. Wir trinken gerade unseren Frühstückstee, als bereits Lketinga bei uns erscheint. Im Gegensatz zu gestern trägt er heute europäische Kleidung, eine lange Hose, ein T-Shirt und normale Halbschuhe. Er begrüßt jeden mit Handschlag, erkundigt sich, wie wir geschlafen haben, und steuert dann in Richtung meines Zeltes. Wie selbstverständlich öffnet er den Reißverschluss und kontrolliert mit einem Blick, wie es in meinem Zelt nach dieser Nacht aussieht. Früher, als seine Ehefrau, wäre ich verärgert gewesen, doch jetzt kann ich mir vor Staunen kaum das Lachen verkneifen.

Nachdem er sich zu uns gesetzt hat, besprechen wir, wie der heutige Tag gestaltet werden könnte. Er teilt uns mit, dass James mit dem Motorrad zur Schule fahren muss, weil heute eine Kontrollkommission aus Nairobi erscheinen wird. Sein älterer Bruder sei noch hier, möchte aber bald nach Hause marschieren, bevor die Hitze zu groß wird. Bevor er aufbricht, möchte ich ihm natürlich noch seine Geschenke überreichen. Am Vormittag könnten wir dann zum Fluss hinuntergehen und anschließend das Dorf besichtigen.

Lketinga ist einverstanden und so brechen wir langsam auf und schlendern zu Mamas Manyatta, vor der im Schatten Papa Saguna sitzt. Freundlich begrüßt er uns und erklärt in Maa, dass er sich auf den Heimweg begeben möchte, damit er morgen Saguna hierher schicken kann. Schnell laufe ich in James' Haus, wo sich die Tasche mit den Geschenken befindet, und hole eine karierte Samburu-Decke und ein flauschiges orangenes Flanellhemd hervor. Als ich diese schlichten Gaben dem staunenden Papa Saguna überreiche, scheint er sich wirklich und von Herzen zu freuen. Er bedankt sich mit den Worten: »Ke subat, ke supati pi, schön, wirklich sehr schön.« Wir werden ihn sicher noch einmal sehen, bevor wir weiterreisen, da uns zu Ehren ein Fest geplant ist. Genaueres können wir dann seiner Tochter Saguna mitteilen. Nach einem kurzen Abschied verlässt er mit seinem grünen Hut auf dem Kopf und der neuen Decke um die Hüften mit leichtem Schritt den Kral.

Wie in früheren Zeiten bitte ich nun bei Mama mit dem Wort »Godie?« um Einlass in die Manyatta. Erhalte ich als Antwort ein »Karibu«, darf ich eintreten. Mama heißt mich willkommen und so trete ich nach mehr als vierzehn Jahren in gebückter Haltung wieder in eine Manyatta. Ich balanciere an der Feuerstelle vorbei, um dahinter auf dem Kuhfell Platz nehmen zu können. Vor Aufregung passe ich nicht auf und schon habe ich mir am Oberarm eine kleine blutende Schürfwunde zugezogen, da ich an einem der zahlreichen aus der Wand stehenden Weidenäste hängen geblieben bin.

Mama hat für alle Chai auf der Feuerstelle zubereitet. Im Arm hält sie James' kleines Baby und schaukelt es liebevoll, während sie ihm etwas vorsingt. Von dem Kind sehe ich nur die kleinen nackten Beinchen, die unter einem Kleid hervorschauen. Der Kopf ist mit einer großen Mütze bedeckt, so dass man das Gesichtchen nicht sehen kann. Ich erinnere mich an die Tradition, dass man die Neugeborenen die ersten paar Wochen niemandem außer den engsten Familienmitgliedern zeigt. Da die Samburu an eine Art Zauber glauben, fürchten sie, dass dem Neugeborenen etwas Schlechtes angewünscht werden und ihm ein Unglück oder gar der Tod drohen könnte. Als ich mit unserer Tochter Napirai endlich aus dem Spital nach Hause kam und jedem voller Stolz mein süßes Mädchen zeigen wollte, wurde ich von Mama angehalten, das Kind im Haus zu lassen oder, wenn ich mich mit ihr draußen aufhalten wollte, das Gesicht mit einem Tuch abzudecken. Mir brach das jedes Mal fast das Herz.

Mama lässt das Baby von einem der jungen Mädchen im Kral zu seiner Mutter bringen. Trotz des leichten Rauches fühle ich mich sofort wohl in der Manyatta und nehme den Chai gerne entgegen. Lketinga lässt sich neben mir nieder, während sich Klaus und Albert nach der Begrüßung außen neben den Eingang setzen. Mama sitzt uns gegenüber auf ihrem Kuhfell. Diese Ecke ist ihr persönlicher Bereich und darf außer von ihr nur von ganz kleinen Kindern betreten werden. Hinter ihr ist ein Teil der Wand mit einem Stück Wellblech geschützt, vor dem eine alte Decke liegt. Darüber hängt zusammengebunden ein verrußtes Moskitonetz. An der Seite steht ihre persönliche, abschließbare Metallkiste, deren Schlüssel sie immer um den Hals trägt. In dieser Kiste sind die wenigen wichtigen Dinge ihres langen Lebens verstaut. Nebenbei dient sie als Abstellfläche für zwei Teebecher und verschiedene Büchsen. Neben der Feuerstelle stehen der Teetopf und eine schwarz verrußte Pfanne. Zwischen einem ihrer nackten Füße und der Feuerstelle liegt der abgetrennte, blutverkrustete Ziegenkopf von der gestrigen Schlachtung. Den wird sie sicher im Laufe des Tages garen. An einer Trennwand vor mir ist ein kleines neugeborenes Zicklein angebunden und döst vor sich hin. Neben mir steht eine weitere Metallkiste, auf der ich einige Utensilien von Lketinga erkenne. Deshalb nehme ich an, dass er vorläufig bei Mama wohnt, während seine junge Frau hier irgendwo eine neue Hütte aufbaut, da ihm die Samburu-Sitte nicht erlaubt, mit der dritten Frau in die Manyatta seiner zweiten Frau einzuziehen. Eigentlich hatte ich ja den Wunsch, eine Nacht in der Manyatta von Mama zu verbringen. Aber nach dem, was ich gerade wahrgenommen habe, sollte ich davon lieber Abstand nehmen. Schließlich möchte ich keine unnötigen Aufregungen verursachen.

Während ich den heißen Tee schlürfe, verfolge ich die Unterhaltung zwischen Lketinga und seiner Mutter.

Bei meiner ersten Kenia-Reise 1986

Der geschmückte Samburu-Krieger Lketinga 1987

In verliebten Zeiten

Meine Samburu-Hochzeit in Weiß

Der stolze Papa mit seiner Tochter

Mit unserer kleinen Tochter in Barsaloi

Nyahururu, meine Zwischenstation auf dem Weg ins Samburuland

Mit einer Bekannten bei der Ankunft in Maralal

Wiedersehen mit James in der Maralal Lodge

Die neue Schule vor Barsaloi

Wiedersehen mit Lketinga nach vierzehn Jahren

Blick auf vertraute Plätze

Lketinga im Kral

Unsere erste Annäherung beim Gespräch

In der Ferne das gewachsene Barsaloi

Im Flussbett bei unserer ehemaligen Wasserstelle

Endlich das lang ersehnte Wiedersehen mit Mama

Innige Begrüßung

Beim neugierigen Blättern im Fotoalbum von Napirai

Mit Shankayon und Saguna

Lebhaftes Erzählen im Haus von James

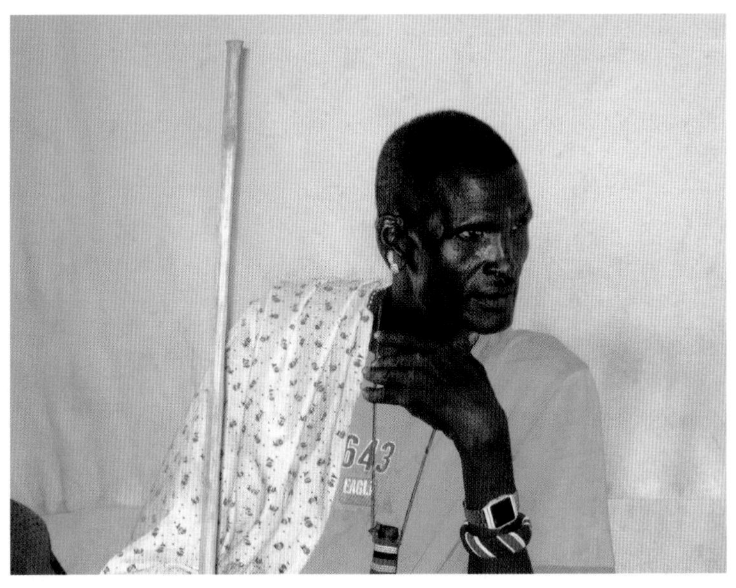

Lketinga hört die mitgebrachten Kassetten an

Die Mission in Dursulul

Vergnügte Runde mit Klaus, dem Kameramann

Papa Saguna beim Häuten der Ziege für das Begrüßungsessen

Austausch über die vergangenen Jahre

Liebevolles Spiel mit einem Zicklein

Mit Shankayon, Lketingas Tochter

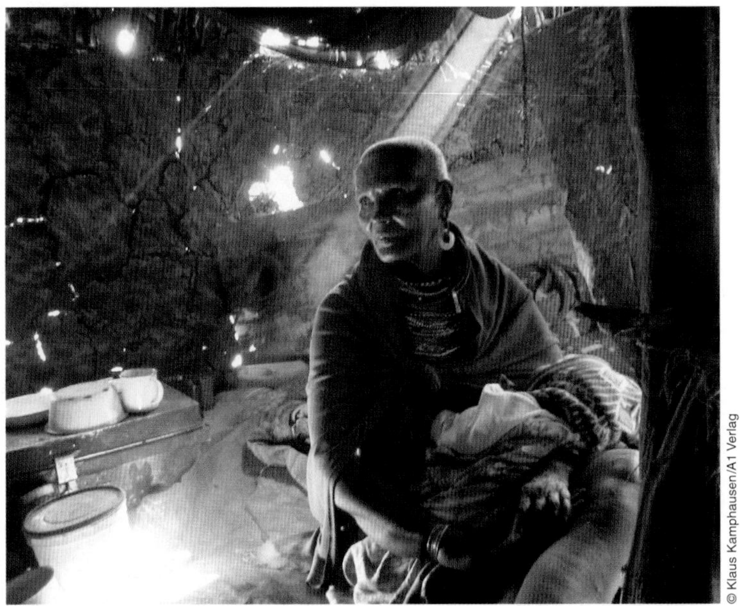

In Mamas Manyatta

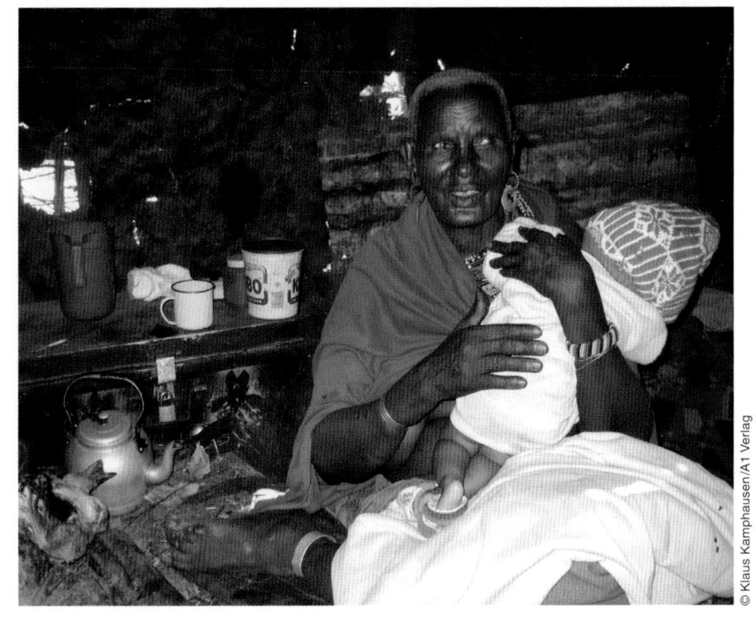

Mama hütet Felista, das jüngste Kind von James und Stefania

Wie früher gemeinsam in Mamas Behausung

Hier stand damals unsere Manyatta

Sie wird immer energischer und ich frage nach, was los ist. Mama sei verärgert, weil es keinen Mais mehr gäbe und sie für die Kinder kein Ugali mehr kochen könne. Auch würde sie schon von einigen Frauen geneckt, weil wir ihr bis jetzt keine Geschenke in Form von Lebensmitteln überreicht hätten. Lketinga erklärt ihr, dass James gestern alles in sein Haus verfrachtet hat und wir mit ihm heute Abend, wenn er zurück ist, gemeinsam die Geschenke verteilen wollten. Das scheint sie zu besänftigen und sie sieht wieder zufrieden aus. Da es allerdings, wenn man Hunger hat, bis zum Abend allzu lange dauert, holen wir einen der mitgebrachten Maismehlsäcke. Mama bedankt sich wie gewohnt mit einem eher finsteren Gesichtsausdruck, der seine Erklärung findet, als kurz darauf mehrere Frauen um Einlass in die Hütte bitten. Wir machen Platz und gehen nach draußen, da wir uns sowieso auf den Weg zum Fluss machen möchten.

Am Fluss

Bei meiner Spurensuche möchte ich mit dem Platz beginnen, wo unsere frühere Manyatta stand. Durch dorniges Savannengelände stapfen wir zur gegenüberliegenden Seite des Dorfes. Klaus hat wie immer seine Filmkamera, Albert einen Fotoapparat dabei. Als wir die Anhöhe erreichen, sehe ich nur noch einige wenige vertrocknete Dornenzweige, die an den ehemaligen Kral erinnern. Am sandigen rotbraunen Boden ist nichts mehr zu erkennen. Nur die Akazie, unter der sich Mama immer mit den Kindern aufhielt, steht einsam und verloren da. Lketinga und ich erzählen unseren beiden Begleitern, wie wir hier gelebt haben. Anschließend marschieren wir den gleichen Weg zum Fluss, den ich jahrelang benutzte, um mein tägliches Trinkwasser zu holen oder mich und die Kleider zu waschen. Im Gegensatz zu früher, als ich auf diesem Weg ständig Frauen traf, begegnen wir heute niemandem, da sich ja neuerdings eine Wasserstelle im Dorf befindet.

Lketinga nimmt wie selbstverständlich meinen Rucksack und schultert ihn. Wir gehen voraus und er fragt mich: »You remember this way?« Ich antworte, dass ich mich so gut erinnere, als wäre es gestern gewesen. Schweigend gehen wir weiter. Ab und zu bleibt mein Rock an einem Dornenast hängen. Hier in Barsaloi ziehe ich bewusst nur Röcke an, da Hosen für Frauen als »unsittlich« gelten.

Wir haben den Fluss fast erreicht, als Lketinga beginnt, über den Film und das Buch zu sprechen. In vorwurfsvollem Ton fragt er: »Warum spielt jemand mich und ist doch nicht ich? Wofür kann das gut sein? Kennst du diesen Mann? Was hat er mit uns zu tun?« Gerade noch in meine Erinnerungen an damals vertieft, bin ich zunächst völlig überrumpelt. Vorsichtig versuche ich ihm zu erklären, dass die Personen im Film nichts mit uns zu tun haben: »Auch ich spiele ja nicht mich, sondern eine Frau, die du nicht kennst. Mama ist auch nicht Mama und James ist nicht James. Das ist normal bei einem Film. Viele Menschen in Europa lieben unsere Geschichte und möchten außerdem sehen, wie es hier aussieht. Der Film zeigt es ihnen, ohne dass sie hierher reisen müssen.»

Aufmerksam hört er zu, schweigt einen Augenblick und fährt fort: »Aber immer wieder kommen fremde Leute zu uns und erzählen, dass du mich betrügen willst. Dass du in der Schweiz ein eigenes Flugzeug hast, viele Häuser und große Autos besitzt.« Diese absurden Vorwürfe machen mich im ersten Moment sprachlos, doch nach einer Weile frage ich ihn, welche Leute diese Lügen erzählen. Da antwortet er: »Ich kenne diese Personen nicht, aber sie kommen von überall, auch aus der Schweiz, und vielleicht kennen sie dich. Ich weiß nicht, ob das alles stimmt. Manchmal kommen Krieger von der Küste nach Hause und erzählen auch solche Geschichten.«

Ich fühle mich gekränkt und bin gleichzeitig traurig. Dennoch versuche ich Ruhe zu bewahren, als ich, wenn auch in einem etwas energischeren Ton, entgegne: »Diese Leute kennst du nicht! Mich aber kennst du seit achtzehn Jahren. Ich habe in Barsaloi gelebt und habe alles versucht, hier mit dir glücklich zu sein und zu überleben. Es hätte mich mein Leben gekostet, wenn ich geblieben wäre. Aber ich unterstütze deine Familie, seit ich dieses Land völlig mittellos verlassen habe. Meinst du, das ist normal? Meinst du, wenn ich ein schlechter Mensch wäre, hätte ich mich all die Jahre um dich und deine Familie gekümmert? In meinem Land ist es nicht üblich, dass eine Frau, wenn sie weggeht, den Mann unterstützt. Ich habe euch sogar geholfen, als ich keine Arbeit hatte, und nach dem Erfolg des Buches umso mehr. Auch der Verlag und die Filmleute helfen euch. Glaubst du, du hättest all dies an meiner Stelle für mich getan?«

Er schaut mich an und sagt etwas ruhiger: »Nein, ich glaube nicht, aber ich weiß es nicht. Ich verstehe auch nicht, warum mir immer wieder Leute solche Geschichten erzählen. Es sind schon Journalisten gekommen und wollten, dass ich etwas Schlechtes über dich erzähle. Denen habe ich gesagt, dass du immer noch meine Frau bist, auch wenn du jetzt in der Schweiz lebst. Dass du mir hilfst und ich nicht weiß, warum ich etwas Schlechtes sagen soll. Denn du gehörst nach wie vor zu unserer Familie und bist die Mama meines Kindes. Ich habe einfach nicht mehr mit diesen Leuten gesprochen.«

Das sei wahrscheinlich das Beste, bestärke ich ihn und versuche ihm zu erklären, dass vieles mit Neid zu tun hat. Ich erinnere ihn an unsere Zeit in Mombasa, als so viele Intrigen gegen uns gesponnen wurden. Viele so genannte Freunde waren gegen uns, weil ich jung, hübsch und für afrikanische Verhältnisse vermögend war.

»Und heute ist es so, dass ihr Unterstützung bekommt. Ihr habt eine große Tierherde, James besitzt ein Haus und auch du bekommst durch die Filmleute zusätzlich ein richtiges Holzhaus. Wenn ihr mit dem Geld gut umgeht, braucht ihr nicht mehr zu hungern. Und das alles nur, weil du einmal den Mut hattest, eine Weiße zu heiraten. Ich glaube, so sehen es die Menschen. Es liegt doch auf der Hand, dass das Eifersucht erzeugt und viele Unbeteiligte versuchen, unser gutes Verhältnis zu zerstören, indem sie schlechte Dinge erfinden. Wahr ist, dass ich ein Auto in der Schweiz habe. Doch ich besaß schon immer einen Wagen, auch in Afrika. Mir gehört kein Haus, wie dir fremde Leute erzählen, sondern ich zahle jeden Monat Miete dafür. Und über die Geschichte von dem eigenen Flugzeug kann ich nur lachen.«

Tatsächlich kann ich mir, trotz aller Traurigkeit über die Missgunst mancher Menschen, bei der Vorstellung, im eigenen Flugzeug durch die Gegend zu jetten, ein Lächeln nicht verkneifen. Lketinga dagegen schaut etwas betreten und sagt mit seiner kratzigen Stimme: »It's okay, now I believe you, really. Jetzt, wo du mir alles erklärst, glaube ich dir. Aber manchmal weiß ich einfach nicht mehr, was stimmt. Auch James erzählt so vieles und ich muss es einfach glauben, obwohl ich manchmal daran zweifle. Ich glaube, weil er zur Schule gegangen ist, möchte er Karriere machen wie ein Minister. Ich aber bin ein Samburu, ein wirklich echter Samburu, und habe meine Tiere und meine Familie. This is okay for me.«

Ich nehme die Hand meines Ex-Mannes und schaue ihn an, während ich eindringlich sage: »Ich wäre nicht hierher zurückgekommen, wenn ich je absichtlich etwas Unrechtes getan hätte. Als ich wegging, wollte ich nichts anderes, als mein Leben schützen. Und ich glaube, du kannst auch deinem Bruder vertrauen. Wem willst du denn sonst glauben, wenn nicht der eigenen Familie?« Nach diesen Worten wende ich mich ab, um meine Emotionen unter Kontrolle zu bringen, da Albert und Klaus uns schon fast erreicht haben.

Mittlerweile sind wir am trockenen Flussbett angelangt und ich bin froh, dass hier gerade viel Betrieb herrscht. Direkt vor uns stehen einige Kamele um ein Wasserloch, aus dem ein fröhliches Singen ertönt. In einem gleichmäßigen Rhythmus schießen zwei Arme aus dem Loch und gießen geschickt aus einem Eimer Wasser in eine Mulde, die mit einer Plastikplane ausgelegt ist. Die Kamele schlürfen sofort das köstliche Nass weg. Als wir näher treten, wenden sich die Tiere ab und traben langsam davon. Der Krieger, zu dem die Arme gehören, blickt nach oben, hört auf zu singen und steigt aus der Grube. Er schaut uns misstrauisch an, während er Lketingas Begrüßungsfloskeln beantwortet, und geht gemächlich den Kamelen hinterher. Aus allen Richtungen strömen um diese Zeit Mädchen, Jungen oder Krieger mit ihren Herden zum Fluss. Innerhalb kürzester Zeit ist das ganze Flussbett mit Hunderten von Ziegen und vereinzelten Schafen in allen Farben »bevölkert«. Etwa 200 Meter von uns entfernt erkennt man noch ein kleines Rinnsal. Um das Bächlein herum ist der Sand in weiten Teilen dunkel verfärbt, unter der Oberfläche fließt also noch Wasser. Weiter flussabwärts war früher unser »Waschplatz«, an dem Lketinga und ich uns immer gegenseitig gewaschen haben. Heute fließt dort kein Wasser mehr.

Wir schlendern weiter zu den vielen Ziegen. Die traditionell gekleideten Mädchen versuchen mit kleinen Stöckchen ihre jeweilige Herde beisammen zu halten. Zwischen den Herden stolzieren Krieger. Mir fällt auf, dass einige Männer statt mit den üblichen Speeren mit Gewehren bewaffnet sind. Lketinga erklärt, warum: »Seit dem blutigen Streit mit den Turkana besitzen hier viele Gewehre.« Diese neue Art der Bewaffnung vermittelt eine fast bedrohliche Atmosphäre. Bei den jungen Mädchen finde ich bemerkenswert, dass keines mehr eine gegerbte, mit Glasperlen verzierte Lederhaut anhat, sondern alle unter ihrem Kanga einen europäischen, meist karierten Rock tragen. Nach wie vor dagegen sind ihre nackten Brüste mit dem traditionellen Halsschmuck bedeckt.

Überall meckern Ziegen in heller Aufregung. Lketinga wechselt hie und da ein paar Worte mit den Hirten. Wir schlendern weiter auf einen einzigartigen riesigen Baum zu, der etwas erhöht am Flussufer thront und dazu einlädt, unter ihm zu rasten. Lketinga und ich setzen uns auf eine mächtige

Baumwurzel und beobachten von leicht erhöhter Lage das bunte Treiben am Fluss. Klaus ist begeistert dabei, die archaischen Bilder filmisch einzufangen.

Lketinga zeigt auf ein junges Mädchen, das gerade mit der Herde zum Fluss kommt. Er erkennt sie schon von weitem als Natascha. Beim Klang dieses Namens werde ich sofort hellhörig. Vor sechzehn Jahren hatte ich der ersten Tochter eines Halbbruders von Lketinga diesen Namen gegeben. Wir waren auf Besuch in Sitedi und dabei bekam ich das nackte neugeborene Baby in die Arme gelegt. Als ich den Namen wissen wollte, lachte die Mutter und sagte: »Gib ihr einen Mzungu-Namen, sie hat noch keinen.« Ganz spontan fiel mir Natascha ein. Es freut mich, dass dieser Name beibehalten wurde.

Und da steht sie nun nur ein paar Meter von uns entfernt. Ich möchte sie begrüßen und so kommt Lketinga mit mir. Natürlich kennt sie mich nicht, sondern weiß nur, dass sie von mir ihren Namen bekommen hat. Sie ist sehr schüchtern und spricht keinen Ton. Ihre Kleidung ist an mehreren Stellen geflickt. Ich ärgere mich, dass ich nichts, nicht einmal ein paar Süßigkeiten zum Verschenken dabei habe.

Als ich Lketinga mitteile, dass ich ihr gerne etwas schenken würde, schlägt er vor, ihr einige Schillinge zu geben. Dann könne sie schnell ins Dorf laufen, um sich einen schönen Kanga zu kaufen. Zweifelnd frage ich, wer denn in ihrer Abwesenheit auf die Ziegen aufpassen würde. Lketinga spricht mit einem Krieger, der ebenfalls seine Herde am Fluss tränkt. Er ist einverstanden, in der Zwischenzeit Nataschas Tiere zu hüten. Da nimmt sie das Geld und läuft in großen Schritten Richtung Barsaloi.

Während sie unterwegs ist, schaue ich immer wieder auf ihre Herde. Hoffentlich geht keine Ziege verloren, sonst wäre es kein guter Tausch für das Mädchen. Wie früher wundere ich mich, wie alle ihre Tiere auseinander halten können. Die meisten Ziegen sind weiß und für mein ungeübtes Auge schwer zu unterscheiden.

Wir sitzen wieder im Schatten des Baumes und ich genieße den schönen Überblick über das Flussbett. Etwas weiter hinten sitzen zwei nackte Krieger im Sand und waschen ihre dunklen, graziösen Körper, während ihre roten Kangas auf einem Felsvorsprung zum Trocknen in der heißen Sonne liegen. Niemand beachtet sie. Es ist eine friedliche, fast biblische Stimmung.

Nur eine Weile später sagt Lketinga: »Natascha is coming back.« Tatsächlich springt und hüpft sie mit einem sonnengelben Schultertuch den Weg entlang. Es ist wundervoll zu sehen, wie sie es genießt, dieses Tuch hinter sich herflattern zu lassen. Schüchtern bedankt sie sich und möchte sogar noch etwas Kleingeld zurückgeben, was mich wirklich rührt. Mich kostet dieses Geschenk wenig, fast nichts, und dieses Mädchen kann sein Glück gar nicht fassen, dass es – einfach so – zu einem neuen Kleidungsstück gekommen ist. Ich freue mich mit ihr und schaue zu, wie sie schnellen Schrittes zu ihrer Herde zurückkehrt.

Einen Moment lang denke ich an Napirai, die ungefähr im gleichen Alter ist. Für sie etwas Passendes zum Anziehen zu finden, ist allerdings wesentlich komplizierter. Das schöne Erlebnis mit Natascha hebt meine innere Stimmung und ich erhole mich langsam von dem schwierigen Gespräch mit Lketinga. Trotzdem liegt zwischen uns noch eine spürbare Distanz.

Mit zunehmender Hitze leert sich langsam das Flussbett. Eine alte Frau steht plötzlich vor mir und zeigt ihre Schienbeine mit einer ausgetrockneten und rissigen Haut, die fast grau aussieht. Sie gibt zu verstehen, dass sie eine Salbe bräuchte. Leider kann ich nicht helfen. Zumindest hat Klaus seine Sonnencreme dabei, mit der sie sich zufrieden gibt. So unvermittelt sie aufgetaucht ist, so unauffällig zieht sie weiter. Auch wir machen uns auf den Rückweg. Überall liegen in Ufernähe Ziegen im Schatten der Bäume. Es ist jetzt sehr heiß und der sandige Boden wäre ohne Schuhe nicht mehr zu begehen.

Unser alter Shop

Im Dorf ist es ruhig, die Menschen haben sich an Schatten spendende Plätze oder in die Hütten zurückgezogen. Ich halte Ausschau nach meinem ehemaligen Shop. Kurz darauf stehe ich vor einem heruntergekommenen Gebäude, dem man dennoch ansieht, wie groß und prächtig einmal unser Laden war. Überall blättert die Farbe von den Wänden. Die Fenster sind vergittert und der Eingang verschlossen. Darüber ist das Wort »Hotel« in die Mauer geritzt. Ich versuche einen Blick ins Innere zu erhaschen, als unverhofft das Tor geöffnet wird. Dabei kippt die Türe fast aus den Angeln. Der Besitzer ist der Mann, der mir bei der Ankunft im Dorf als Erster um den Hals gefallen ist. Wie man sehen und riechen kann, hat er ein Alkoholproblem. Er bittet uns herein und erzählt Albert und Klaus ausführlich, wie hart ich früher in diesem Shop gearbeitet habe. Offenbar kennt er meine ganze Geschichte hier in Barsaloi und ist nach wie vor voller Bewunderung für mich. Ich jedoch kann mich einfach nicht an ihn erinnern.

Als ich später Lketinga darauf anspreche, meint er: »Ach, dieser Mann ist ein Verrückter, sprich nicht mit ihm!« Er scheint mir aber weder verrückt noch dumm zu sein. Seit einiger Zeit hat er den Shop gemietet und ihn in ein »Hotel« umfunktioniert. Als ich mich im Inneren umschaue, trifft mich fast der Schlag. Die ehemaligen Regale sind verfault oder zerbrochen. Alles starrt vor Dreck. Im hinteren Teil, wo wir einmal auch gewohnt haben, ist sein so genanntes Hotel untergebracht. Der Raum ist nur mit großen Tüchern abgetrennt, die für ein wenig Privatsphäre sorgen sollen. Matratzen oder gar Betten sind allerdings nicht vorhanden. Der Mann erklärt, seine Gäste bräuchten das nicht, da sie sowieso auf dem Boden schliefen. Enttäuscht und auch etwas angeekelt verlasse ich das

Gebäude, das einmal der erste richtige Lebensmittelladen in Barsaloi war und in dem ich früher oft bis zum Umfallen geschuftet habe.

Auf unserem weiteren Weg durchs Dorf höre ich immer wieder aus allen Richtungen die Begrüßung »Mama Napirai«. Ansonsten ist es im Dorf und auch im Kral meiner afrikanischen Familie ruhig geworden. Die Erwachsenen haben sich verkrochen und die Kinder sind in der Schule oder mit den Tieren unterwegs. Nur Stefania mit ihrer ruhigen, unauffälligen Art und ihre Kinder Saruni und Little Albert sind da. Lketinga fragt besorgt, ob wir Hunger haben. Diese Frage lässt sich nur bejahen und so schlage ich vor, zusammen mit Stefania etwas zu kochen. Die Männer sind einverstanden und ziehen sich zurück. Lketinga geht wahrscheinlich zu seiner neuen Frau und Albert und Klaus gönnen sich eine Ruhepause in unserem Camp.

Unter Frauen

Wir beschließen, einen Eintopf aus Reis, Karotten, Kohl und Fleisch zu kochen. In der kleinen Küche hängt an einem Nagel neben dem Fenster das Vorderbein der gestern geschlachteten Ziege. Stefania nimmt es herunter und drückt es mir in die Hand. Mit einem großen Buschmesser schneidet sie, haarscharf an meinen Fingern vorbei, kleine Stücke ab. Ich darf nicht daran denken, dass dieses rohe Fleisch den ganzen Tag in der Hitze ohne Kühlschrank überdauert hat. Wir kochen alles zusammen in einem großen Topf und zu meiner Verwunderung streut Stefania ein fertiges Gewürzmittel darüber. Zu meiner Zeit würzte man ausschließlich mit Salz.

Ich versuche, ein Gespräch mit ihr zu beginnen, aber es gestaltet sich schwierig, obwohl sie gut Englisch spricht. Sie beantwortet zwar meine Fragen, von sich aus jedoch spricht sie mich nicht an. Die jungen Frauen sind es einfach nicht gewöhnt, mit Fremden oder gar Männern zu diskutieren.

Als ich später James zu diesem Thema befrage, bestätigt er meine Beobachtung: »Ja, es ist normal, dass Samburu-Frauen nicht viel sprechen. Mit Gebildeten wie mit Stefania ist es besser. Wir beide besprechen einiges miteinander. Aber meine Brüder, eigentlich alle der älteren Generation, sind der Auffassung: Wenn du mit deiner Frau sprechen musst, benutze nur wenige Worte und bilde kurze und exakte Sätze. Ein Mädchen oder eine Frau, die viel und laut spricht, ist keine gute Frau und wird nicht gehorchen. Es ist fast immer der Mann, der ein Problem löst und entscheidet. Die Frau hat sich daran zu halten und diskutiert nicht.«

Erneut wird mir klar, dass ich in ihren Augen wohl nicht dem idealen Frauenbild entsprochen habe. Meistens war ich die Problemlöserin und dabei wurde es hin und wieder ziemlich heftig und laut.

Trotz seiner gegenteiligen Beteuerungen habe ich auch bei James noch nicht erlebt, dass er mit seiner Frau länger gesprochen oder sie zu einer Unterhaltung eingeladen hätte. Sie steht fast immer mit den Kindern abseits, hört wortlos zu oder kocht für uns Tee. Da sie auch nie gemeinsam mit uns isst, lässt sich eine gewisse Distanz nicht überwinden.

Während das Essen auf der Feuerstelle kocht, kommt Lketingas Schwester herein und bittet mich, in Mamas Hütte zu kommen. In der Manyatta finde ich Mama dösend auf dem Kuhfell liegen. Sie richtet sich sofort auf und lacht mich an. Lketingas Schwester bläst gekonnt in die Glut und die Manyatta füllt sich kurz mit Rauch, bevor das Feuer sich entfacht. Sie stellt einen Topf mit kleinen angebratenen Fleischstückchen auf die Feuerstelle und gibt mir zu verstehen, dass diese für mich sind.

Mama hat mein Lieblingsfleisch gekocht! Sie hat sich daran erinnert, dass ich dieses von ihr gebrutzelte Fleisch am liebsten mochte. Voller Freude fange ich an zu essen. Für einen kurzen Moment muss ich mit schlechtem Gewissen an Albert und Klaus denken, denen sicher der Magen knurrt, während ich es mir hier gut gehen lasse. Mama schaut mir gelassen zu und sagt immer: »Tamada, tamada – nimm, nimm.« Sie lächelt über meine Komplimente, obwohl sie diese nicht wörtlich versteht.

Es irritiert mich, dass ich nach vierzehn Jahren ohne fremde Hilfe keine Unterhaltung führen kann. Wie habe ich das nur früher gemacht? Die Schwester spricht etwas Kisuaheli und so verstehe ich ab und zu etwas, kann aber nicht antworten. Irgendwie erahne ich, dass sie mich unter anderem um Geld bittet. Ich krame zwei Scheine hervor und schenke den einen der Schwester und den größeren Mama. Die Jüngere stopft das Geld sofort unter ihren Halsschmuck, Mama schiebt es mit dem Fuß unter das Kuhfell, ohne einen Blick darauf zu werfen. Obwohl es umgerechnet nur etwa zehn Euro sind, bin ich sicher, dass sie einen so großen Geldschein noch nie gesehen hat. Woher auch sollte Mama so viel Geld bekommen? James versorgt sie mit allem, was sie braucht. Freudig bedanken sie sich mit »Asche oleng«.

James' neues Leben

Kurz darauf höre ich das Geräusch von James' Motorrad. Da auch das Essen im Haus fertig sein müsste, kehre ich zurück und begrüße den erschöpft wirkenden James. Saruni, seine Tochter, springt gleich zu ihrem Papa und drückt sich an ihn. Sie ist ein absoluter Papafan. James sprudelt sofort los und berichtet von der Prüfungskommission, die seine Schule kontrolliert hat. Deshalb musste er heute dringend in die Schule, obwohl er sich krank und müde fühlte. Er vermutet, einen leichten Malariaanfall zu haben. Tatsächlich stehen ihm feine Schweißperlen im Gesicht.

Hier hat jeder hin und wieder Malaria. Für gesunde und robuste Menschen fühlt es sich wie eine Grippe an und ist meistens nach einigen Tagen überstanden. Dennoch ist damit natürlich nicht zu spaßen, Malaria ist in Kenia immer noch eine der häufigsten Todesursachen. Gott sei Dank sind die Symptome bei James nur leicht ausgeprägt und vielleicht ist es auch gar keine Malaria.

Im Laufe des Abends wird mir klar, wie sehr James bereits in einer fast europäischen Stresssituation lebt. Er hat viel Arbeit als Leiter einer Schule, betreut verschiedene Aktivitäten gemeinsam mit der Mission, organisiert die vielköpfige Familie, hilft Lketinga beim Hausbau, kümmert sich um Nachschub für seinen Shop, etc., etc. Neuerdings eilt er von Termin zu Termin, während um ihn herum die Welt in gewisser Weise stehen geblieben ist. Ohne sein Motorrad wäre das alles für ihn nicht machbar. Weil er es aber hat, erwartet jeder, dass er noch mehr erledigen kann. So hat das Motorrad viel Gutes, aber auch Nachteile gebracht. An seinem Fall kann man deutlich erkennen, dass der Fortschritt fast automatisch zu Hektik führt. Er bewältigt all seine Aufgaben ja nicht schneller, um mehr Freizeit zu gewinnen. Nein, er erledigt alles in kürzester Zeit, um anschließend noch mehr leisten zu können. Vom materiellen Standpunkt her ist sein Leben komfortabler geworden. Doch seine Gesundheit leidet offensichtlich unter den vielen Belastungen, da er an manchen Tagen nur zur Arbeit gehen kann, wenn er Kopfschmerztabletten einnimmt. Sehr europäisch! Er könnte sich sicherlich auch weniger engagieren, doch anscheinend ist er bereits mit dem Virus »Erfolg um fast jeden Preis« infiziert. Er erklärt, dass er noch vieles lernen möchte und sich vor kurzem für Weiterbildungskurse an der Universität in Nairobi angemeldet hat.

Als Lketinga wieder unter uns weilt, setzen wir uns um den Tisch und jeder hat einen voll geschöpften Teller vor sich. James isst für zwei und deshalb glaube ich nicht, dass er wirklich Malaria hat. Stefania und die Kinder schauen wieder nur zu, was uns doch etwas zu schaffen macht. James hingegen beruhigt uns und meint, sie essen später, wenn wir fertig sind. Hier ist es Tradition, dass erst die Männer essen und anschließend die Frauen und Kinder. Ich gelte also irgendwie als Mann.

Kleine Geschenke

Ich kann es kaum erwarten, bis wir mit dem Essen fertig sind und endlich unsere Geschenke verteilen können. Als es so weit ist, kommt auch Mama in James' Haus. Es ist das erste Mal, dass ich sie auf einem Stuhl Platz nehmen sehe. Würdevoll sitzt sie da und stützt sich auf einen langen dünnen Stock. Dennoch ist ihr anzumerken, dass sie sich in dieser Umgebung nicht allzu wohl fühlt, obwohl sie nur zwanzig Schritte von ihrer Manyatta entfernt ist. Außerdem sind Lketingas Schwester, ein mir unbekannter Bruder und eine Kinderschar anwesend. Ich beginne mit den Kleidchen, T-Shirts und Pullis für das Baby, Little Albert, Saruni und Napirais Halbschwester Shankayon. Für sie habe ich zwei hübsche Röcke dabei. Dann bekommt Mama mehrere Röcke. Der erste ist aus einem robusten dunkelgrünen Stoff. Mama zeigt keine Regung. Der zweite ist etwas heller. Aber erst, als ich ihr den farbenfrohen blumigen Rock überreiche, kann sie ihre Freude kaum mehr verbergen. Auch das schöne königsblaue Schultertuch findet große Anerkennung. Sie ist zufrieden. Der mir unbekannte Bruder bekommt eine Decke, die Schwester und James' Frau erhalten je einen Rock und einen Kanga. Lketinga verfolgt alles ganz genau und fragt lachend, ob ich denn für ihn auch noch etwas in der mittlerweile fast leeren Tasche habe. Ich überreiche ihm zunächst eine rot-gelbe Decke, die lebhaftes Interesse weckt, und einen Rock für seine Frau. Ich wusste ja nicht, dass er nun zwei Frauen hat. Da keine von beiden anwesend ist, muss er wohl selber entscheiden, wer das Geschenk bekommt. Die Männer erhalten Hemden, Lketinga natürlich ein rotes. Es folgen einfachere Uhren für meinen Ex-Mann und seine Frau sowie James und Stefania, und damit ist zumindest meine Tasche leer.

Doch auch Albert hat ganz persönliche Geschenke für die Familie. Alles wird mit großem Staunen begutachtet und die Augen der Beschenkten leuchten wie bei Kindern unterm Weihnachtsbaum. Als mein Verleger für James und Lketinga zwei Ferngläser auspackt, wissen sie zunächst nichts damit anzufangen. Also geht Albert mit den beiden nach draußen und zeigt es ihnen. James hält sich das Fernglas vor das Gesicht, dreht an den Rädchen und ruft plötzlich ganz aufgeregt: »Ich sehe dort drüben am Berg eine Manyatta und davor liegen zwei Ziegen! Ich sehe es so deutlich, als wäre es unser Nachbar. Unglaublich!« Auch Lketinga probiert seines geduldig aus, bis es schließlich auch bei ihm funktioniert. Nun stehen beide da, halten ihre Ferngläser vor die Augen und reden aufgeregt in ihrer für uns unverständlichen Maa-Sprache. Es sieht so komisch aus, dass wir alle loslachen müssen. Sogar die sonst so zurückhaltende Stefania möchte einmal hindurchschauen. Von den Kindern ganz zu schweigen. Sicher sind das die aufregendsten Geschenke, die sie heute bekommen haben!

Als sich alle beruhigt und wieder im Haus versammelt haben, packe ich als Letztes den Radio-Recorder aus, um die von meiner Schweizer Familie besprochene Kassette abzuspielen. Plötzlich wird es ganz still im Raum und alle lauschen den Worten meiner Mutter, ihres Mannes Hanspeter und meiner Geschwister. Bei den lauten Worten meines Bruders müssen alle lachen. Lketinga erkennt die Stimme sofort und nickt, während er mit seiner kratzigen Stimme fröhlich sagt: »Yes, I remember Jelly and Eric, really, I remember.« Nach einer kurzen Pause hört er zum ersten Mal seine Tochter Napirai sprechen. Voller Spannung sitzt er kerzengerade auf seinem Stuhl und lauscht mit bewegungslosem Gesicht ihren Worten. Als zum Schluss Schweizer Handorgelmusik ertönt, schaut er mich an und sagt: »Okay, it's okay! I remember all and I wait for my child.«

James ist begeistert und bedankt sich freudig, obwohl er bemerkt, dass das Gerät mit acht Batterien zu betreiben ist, was hier in Kenia sehr teuer wird. Nachdenklich stellt er fest, dass nicht einmal die Schule ein so tolles Gerät besitzt. Das CD-Fach muss ich ihm erst erklären, denn so etwas hat er noch nie gesehen. Mama kehrt wieder zu ihrer Manyatta zurück. Die anderen begutachten ihre Geschenke. Die Uhren und Ferngläser werden verglichen und die verschiedenen Stoffe befühlt.

Leider stehen noch einige Kinder da, für die ich keine Kleidchen dabei hatte, weil ich einfach nicht wusste, dass sie auch hier im Kral leben und zum Teil von James miternährt werden. Sie erledigen Arbeiten im Haus und bekommen dafür Kost und Logis, damit sie tagsüber die Schule besuchen können. Offensichtlich schicken Eltern, die weit weg leben, ihre Kinder zu Verwandten ins Dorf, damit der Schulbesuch überhaupt möglich wird. Mir bricht es das Herz, dass ich ihnen außer ein paar Süßigkeiten nichts in die Hände drücken kann. Zu Hause liegen so viele Sachen herum, aus denen Napirai herausgewachsen ist. Hier wäre jedes Kind überglücklich darüber, selbst wenn das jeweilige Kleidungsstück zu klein oder zu groß wäre. Lketinga beruhigt mich und meint, ich solle mir keine Gedanken machen, für die Kinder sei das vollkommen in Ordnung.

In etwa zwei Stunden werden die Tiere nach Hause kommen. Vorher möchte ich mich in unserem Camp noch bei Tageslicht und der wärmenden Sonne endlich etwas waschen. Lketinga organisiert sofort ein Plastikwaschbecken, indem er ein kleines Mädchen in eine nahe gelegene Manyatta schickt. Es ist schön zu beobachten, wie alle sich gegenseitig aushelfen. Mir ist das auch wieder in Mamas Hütte aufgefallen. Als wir bei ihr gemeinsam Chai tranken, hatte sie natürlich keine sechs Tassen. So schickte auch sie ein kleines Mädchen zu den Nachbarn, um sich welche auszuborgen.

Genau für solche Handreichungen ist es üblich, dass bei der Großmutter immer ein kleines Mädchen lebt. Traditionell wird meistens das erstgeborene Mädchen ihrer jeweiligen Kinder von ihr groß gezogen. Zur Zeit hilft ihr Shankayon viel, wenn sie von der Schule zurück ist. Seit ihre Mutter vor ein paar Monaten weggegangen ist, lebt sie bei ihrer Großmutter. Lketinga kann nicht sagen, wann und ob seine Frau zurückkommt. Sie sei aufgrund der vielen Fehlgeburten immer noch krank. Natürlich hat das kleine Mädchen auch ihren Vater hier. Doch ich beobachte, dass Lketinga sich nicht so viel mit seiner Tochter beschäftigt wie James es tut. Ich kann mich erinnern, dass er bei seiner ersten Tochter Napirai wesentlich aufmerksamer war, obwohl sie damals noch ein Kleinkind war. Mit Babys haben nämlich Väter normalerweise relativ wenig zu tun. Auch James hat sein letztgeborenes Kind vor uns nicht einmal begrüßt oder herumgetragen, im Gegensatz zu Little Albert und Saruni.

Das Mädchen kommt nach kurzer Zeit mit einem Waschbecken zurück und Lketinga reinigt es mit etwas Wasser, bevor er es mir überreicht. Wieder bin ich gerührt, wie fürsorglich er mich behandelt. Ich bedanke mich bei ihm und mache mich auf den Weg.

Im Camp ist alles ruhig und so fülle ich das Becken mit Wasser und suche eine Stelle, an der ich mich waschen kann, möglichst ohne gesehen zu werden. Minuten später fühle ich mich sauber und in frischen Kleidern wie neu geboren. Gerade will ich mich wieder auf den Weg zum Kral begeben, als mich eine Stimme aus der Mission ruft. Es ist die mir von früher bekannte Angestellte. Während ich mich mit ihr unterhalte, spricht sie meine Waschsituation an und meint: »Corinne, wasch dich nicht hier draußen, das gehört sich nicht für eine Frau. Komm doch das nächste Mal einfach in die Mission, da kannst du duschen.«

Erfreut bedanke ich mich für das unverhoffte Angebot und erkundige mich, wie es möglich sei, Pater Giuliani zu erreichen, da wir ihn in ein paar Tagen gerne besuchen würden. Sie erzählt, dass immer noch die Möglichkeit bestünde, zweimal täglich in Funkkontakt mit ihm zu treten, entweder am frühen Morgen um sieben oder abends um sechs Uhr. Wir könnten jederzeit vorbeikommen, um ihr Funkgerät zu nutzen. Froh über diese Neuigkeiten kehre ich zu den anderen in den Kral zurück.

Klaus ist mit seiner Filmkamera mittlerweile zum Mittelpunkt des Krals geworden. Allen bereitet es einen riesigen Spaß, sich auf dem Monitor zu sehen. Viele haben sich ja noch nicht einmal in einem Spiegel gesehen. Deshalb sitzt Klaus häufig mit seinen hellen Hosen am Boden und um ihn und den Monitor drängen sich ständig mindestens acht Köpfe. Zwei Tage später fragt Lketinga schelmisch, warum Klaus immer noch seine schmutzigen Hosen trägt, während er selbst sich täglich für uns umzieht.

Leben im Kral

Ich begebe mich zu Mamas Manyatta. Sie sitzt vor der Hütte und um sie herum sind etliche Frauen versammelt. Wieder werde ich herzlich begrüßt und schüttle viele Hände, während ich in lachende Gesichter jeden Alters schaue.

Etwas abseits sitzt eine Frau mit einem Baby und schaut zu mir herüber. Sie kann nicht besonders alt sein, obwohl ihre Stirn voller Falten ist und unter ihren Augen tiefe dunkle Ringe liegen. Wenn ich sie betrachte, schaut sie sofort weg und spricht keinen Ton. Irgendwie kommt sie mir aber bekannt vor. Es dauert eine ganze Weile, bis ich mich betroffen erinnere, dass sie das Mädchen ist, deren Beschneidung ich miterlebt hatte.

Mein Gott, wie alt und resigniert diese Frau aussieht! Sie war etwa zwölf Jahre alt, als ich in die Beschneidungshütte schaute, wo sie tapfer lächelnd auf dem Kuhfell saß, obwohl sie zwei Stunden vorher mit einer Rasierklinge ohne Betäubung beschnitten worden war. Stolz ließ sie sich trotz ihres jungen Alters keine Schmerzen anmerken und verbreitete in der einfachen Manyatta eine mich beeindruckende Aura. Damals kroch ich beschämt aus der Hütte, weil ich erwartet hatte, ein wimmerndes Häufchen Mensch anzutreffen. Und nun frage ich mich: Was ist aus diesem stolzen und fröhlichen Mädchen nur geworden?

Auf jeden Fall scheint sie vom Hunger gezeichnet zu sein. Ich spreche sie an und frage, ob sie nicht unser Nachbarmädchen war. Sie lächelt und schaut weg. Ich gebe nicht auf und sage, ich wüsste, dass sie mein Englisch versteht, da sie eine Zeitlang zur Schule gegangen ist. Jetzt strahlt sie für einen kurzen Moment, vielleicht weil sich wieder einmal jemand für sie interessiert.

Nun erscheint auch ihr Bruder. Er ist als Krieger gewandet und sieht ebenfalls älter und abgehärmter aus als andere in seinem Alter. Er begrüßt mich mit meinem Namen. Sein Mund ist zu einem ständigen, fast unheimlichen Lächeln erstarrt. Dieser Familie muss es wirklich schlecht gehen und doch weiß ich nicht, wie ich helfen kann. Ich kann mich nicht auf den Dorfplatz stellen und Geld verteilen. Ein Konflikt wäre unausweichlich und innerhalb kürzester Zeit müssten wir fliehen, weil wir überrannt würden. Da ich ständig von mehreren Menschen umgeben bin, kann ich ihnen auch nichts heimlich zustecken.

Noch während ich mir darüber Gedanken mache, höre ich die ersten Glöckchen und vereinzeltes Blöken der Ziegen. Kurz darauf schreien die Zicklein hinter mir in der kleinen Hütte und man versteht kaum noch sein eigenes Wort. Der Kral füllt sich innerhalb kürzester Zeit mit weißen Ziegen, die in alle Richtungen rennen. Mama verscheucht eine, die schnurstracks in ihre Manyatta will. Offensichtlich ist sie die Mutter des kleinen angebundenen Zickleins. Sofort tauchen mehrere Frauen und Mädchen auf und beginnen mit dem Melken. Einige Mädchen, kaum älter als zehn Jahre, tragen dabei gleichzeitig noch ihr Geschwisterchen auf dem Rücken.

Lketinga schreitet mit seiner neuen rot-gelben Decke stolz durch seine Herde. Hie und da kontrolliert er Hufe oder Ohren der Ziegen. Auch James hat sich für die Rückkehr der Ziegen umgezogen und trägt einen Kanga. Wir drei Weißen schauen dem Treiben fasziniert zu und stellen fest, dass es sofort viel lebendiger ist, wenn die Kinder wieder anwesend sind.

Um diese Zeit erscheinen immer auffällig viele Besucher, meist alte Männer, im Kral, um gemeinsam Tee zu trinken. Heute ist auch der Mann vom »Hotel« unter ihnen und bettelt Albert verstohlen an, ihm doch ein paar Schillinge für ein Bier zu spendieren. Nebenbei erklärt er mir in verschwörerischem Ton, indem er kurz auf ein etwa siebzehnjähriges Mädchen zeigt, dass dies Lketingas neue Frau sei.

Nur einige Meter von uns entfernt melkt sie gerade eine Ziege. Anscheinend war sie mit einem Teil der Herde unterwegs, da ich sie vorher noch nicht gesehen habe. In Anbetracht der Tatsache, dass ihre Eheschließung und die damit verbundene Beschneidung erst einen Monat zurückliegen, ist dies für sie sicherlich keine leichte Aufgabe.

Möglichst unauffällig versuche ich, sie zu beobachten. Sie ist ein junges, robustes Mädchen, trägt den traditionellen Samburu-Schmuck und macht einen scheuen und etwas unsicheren Eindruck. Das ist nicht verwunderlich, denn sie lebt ja erst seit kurzem hier, einige Stunden Fußmarsch von ihrem bisherigen Zuhause entfernt, und weiß nicht, wann sie ihre Eltern oder Freundinnen wiedersehen wird. Noch ist sie fremd hier und lebt darüber hinaus mit einem ihr unbekannten und für sie sicher auch alten Ehemann zusammen. Je mehr ich mich in das Mädchen hineinversetze, desto mehr Mitleid empfinde ich mit ihr. Da die Dämmerung hereinbricht, sehe ich nicht allzu viel von ihrem Gesicht. Doch nehme ich mir vor, morgen genauer auf sie zu achten. Seltsam, dass Lketinga mir seine neue Frau noch nicht vorgestellt hat!

James fragt, ob wir noch etwas essen möchten. Seine Frau würde uns Spaghetti kochen. Ich muss lachen. Früher haben sie bei diesem Essen selbst in Mombasa die Nase gerümpft und gemeint, dass wir Weißen Würmer essen! Und nun werden Nudeln sogar hier im Busch gekocht. Wie sich die Zeiten geändert haben! Niemand von uns hat Appetit, da die sättigende Wirkung des Eintopfgerichts noch nicht nachgelassen hat. Ich beschränke mich auf einen Chai mit der eben gemolkenen, lauwarmen Ziegenmilch.

Inzwischen ist es dunkel und überall in den Hütten wird lebhaft geredet und gekocht. Zuerst wird Chai zubereitet und anschließend Maisbrei, Ugali genannt. Kinder jeden Alters hüpfen von einer Manyatta zur anderen, immer mit kleinen Aufgaben beschäftigt. James fühlt sich wieder etwas angeschlagen und fiebrig und auch bei uns macht sich allmählich eine gewisse Erschöpfung bemerkbar. Permanent sind wir von Menschen umgeben. Es gibt keinen Augenblick, in dem man sich allein eine halbe Stunde zurückziehen könnte, um den Gefühlen freien Lauf zu lassen. Ständig sind wir von Frauen, Männern und mittlerweile auch Kindern umgeben, die auf uns in der kaum verstehbaren Maa-Sprache einreden oder einfach nur dastehen und uns anstaunen.

Auch von einigen jungen Männern habe ich bereits Besuch bekommen. Zwei von ihnen sind damals mit James zur Schule gegangen und haben sich oft in unserem Haus zum Kartenspielen aufgehalten. Ich freue mich sehr zu sehen, dass es ihnen insgesamt gut geht. Allerdings haben alle das gleiche Problem: keine Arbeit. Deshalb wollen sie gerne weiterstudieren, haben aber keine Sponsoren. Sie bitten mich um finanzielle Unterstützung. Es ist natürlich schwer, den einen etwas zu versprechen und den anderen nicht. Wie soll man eine gerechte Auswahl treffen? Zudem sind sie alle in James' Alter, das heißt knapp über dreißig. Ich verspreche, darüber nachzudenken, und will mich auch mit der Mission absprechen.

Abend in der Mission

Um allen eine kleine Erholungspause zu verschaffen, beschließen wir, heute auf ein gemeinsames Abendessen zu verzichten und uns ins Camp zurückzuziehen. Wir verabreden uns für morgen früh, um ein ausführlicheres Gespräch mit James, Lketinga und Mama zu führen. Mich würde aus der Vergangenheit noch so vieles interessieren.

Im Camp setzen wir uns in die Klappstühle und Francis und John, unsere Fahrer, entzünden Lampen, damit wir etwas Licht haben. Zur Abrundung des Tages gönnen wir uns einen Schluck Rotwein. Als auch noch diverse Knabbereien aus den Wagen gezaubert werden, geht mir kurz durch den Kopf, dass ich – im Gegensatz zu meinem früheren Leben in Barsaloi – auf dieser Reise gewiss keine Pfunde verlieren werde.

Ich berichte von der Möglichkeit, über die Mission mit Pater Giuliani in Funkkontakt zu treten, und wir nehmen uns vor, es gleich morgen zu versuchen. Da wir in zwei Tagen am Filmset »zur weißen Massai« angemeldet sind, könnten wir danach Giuliani besuchen und später noch einmal hierher nach Barsaloi kommen, um ein Abschiedsfest zu feiern. Es ist auch sinnvoll, dass wir die Familie vorübergehend verlassen, damit jeder wieder etwas zur Ruhe kommen kann. Seit unserem Erscheinen ist ihr Leben doch ziemlich durcheinander geraten. Auch James hat zu verstehen gegeben, dass er ab und zu in seine Schule fahren muss.

Während wir alles besprechen, huschen vier Frauen in Schwesterntracht an uns vorbei in Richtung Mission. Kurz darauf erscheint der neue kolumbianische Pater und setzt sich zu uns. Er erkundigt sich nach unserem Wohlbefinden und wie unser Aufenthalt bisher verlaufen ist. Es interessiert ihn sehr, wie sich Lketinga mir gegenüber verhält, und er ist erfreut zu hören, dass wir keine Schwierigkeiten haben und sehr gut aufgenommen wurden. Er berichtet, dass er mit James einige Projekte auf den Weg gebracht hat. Zum Beispiel ist James der Vermittler und Finanzverwalter für eine Frauengruppe, die traditionellen Schmuck herstellt, der bis nach Nairobi verkauft wird. Da die Frauen pro Stück bezahlt werden, haben sich einige bereits bescheidene Holzhäuser errichten lassen können. Diese Information beeindruckt mich, weil damit vor allem den Frauen geholfen wird.

Der Pater erzählt, dass er seit fünf Jahren hier in Barsaloi ist und dass kurz vor seiner Ankunft die blutigen Kämpfe mit den Turkana stattfanden. Wir erfahren auch etwas über die Mission in der Zeit nach meiner Flucht. Direkt nach Pater Giulianis Wegzug im Jahre 1991 kamen andere Missionare. Einer von ihnen starb an der Malaria Tropica. Mehr als ein Jahr hatte man in Nairobi vergeblich versucht, sein Leben zu retten. Bei dieser Erzählung friert es mich plötzlich, da ich an meine eigene schreckliche Malariazeit erinnert werde. Mehr als einmal wäre ich daran fast gestorben. Besonders dramatisch war mein Zustand zwei Monate vor Napirais Geburt. Pater Giuliani konnte damals das Schlimmste verhindern, indem er über Funk die Flying Doctors alarmierte, die mich buchstäblich im letzten Moment ins Hospital nach Wamba brachten. Ja, soeben ist mir wieder deutlich bewusst geworden, wie knapp ich damals dem Tod entgangen bin.

Auf unsere interessierten Nachfragen hin, ob er Genaueres über den Turkana-Überfall wisse, beginnt der Pater zu erzählen, was er darüber gehört hat:

»Es traf alle unvorbereitet, obwohl schon seit Monaten immer wieder ein paar kleinere Überfälle auf einzelne Personen stattgefunden hatten und es dabei auch Tote gab. Kleinere Zwischenfälle waren zwischen dem benachbarten Stamm der Turkana und den Samburu in dieser Gegend nicht besonders ungewöhnlich. Doch was Anfang Dezember 1996 passierte, überraschte alle: Der Tag begann ganz normal. Die Krieger und die Kinder verließen am Morgen mit ihren Herden das Dorf wie jeden Tag. Wie ein Lauffeuer verbreiteten sich Gerüchte, dass in der Nacht davor an verschiedenen Orten Wegelagerer am Straßenrand bei offenem Feuer genächtigt hätten. Niemand wusste jedoch Genaueres. Gegen Mittag überfielen plötzlich etwa 600 mit Gewehren bewaffnete Turkana das gesamte Gebiet um Barsaloi. Sie kamen von den Bergen und trieben von allen Seiten Tiere und Menschen in das Flusstal hinein, Richtung Turkanagebiet. Wer sich wehrte, ob Kinder, Frauen oder Krieger mit Speeren, wurde einfach erschossen. Als man hier im Dorf die ersten Gewehrschüsse hörte, wusste noch niemand, was vor sich ging, bis die Ersten angelaufen kamen und berichten konnten. Nach kurzer Beratung entschied man, dass alle so schnell wie möglich flüchten sollten. Es gab nur noch eine Richtung, die einigermaßen frei war. Die Samburu konnten nichts ausrichten und mussten tatenlos mit ansehen, wie ihnen das gesamte Vieh weggetrieben wurde. Es waren über 20.000 Ziegen und einige Tausend Kühe. Die Menschen flohen, es ging nur noch ums nackte Überleben. Niemand konnte sich damals erklären, warum die Turkana auf einmal so haushoch überlegen bewaffnet waren. Der Raubzug wirkte wie ein organisiertes Verbrechen.

Die vier Priester, die damals hier waren, wollten die Mission nicht verlassen und den Menschen in der Kirche Schutz bieten. Auch sie wurden angegriffen und die Tochter einer Angestellten wurde umgebracht. Ein Priester erlitt einen Beindurchschuss und ein anderer eine Schusswunde am Arm. Als man sie später fand, standen alle unter Schock. Kurzfristig wurde die Mission evakuiert. Man forderte Unterstützung aus Nairobi an, doch es dauerte Tage, bis etwas passierte. In der Zwischenzeit hatten sich alle Krieger der Samburu versammelt und beschlossen, auch ohne Gewehre ihre Herden wieder zurückzuholen, was ihnen später fast zur Gänze gelang. Erst nach einigen Tagen und vielen, vielen Toten sandte die Regierung Verstärkung. Als einer der Aufklärungshelikopter abgeschossen wurde und dabei ein District-Officer ums Leben kam, wurde gehandelt und es fielen einige Handgranaten. Doch da waren die Dörfer bereits alle verlassen und die Menschen in die Gegend von Maralal geflüchtet.«

Wir fragen den Pater nach dem Grund für dieses Massaker. »Den Grund kennt niemand so genau. Einige Monate zuvor waren Bohrungen im Samburugebiet durchgeführt worden und dabei hatte man auch Spuren von Gold gefunden. Aber ich weiß nicht, ob da ein Zusammenhang besteht. Zum anderen gab es einige Monate davor eine große Auseinandersetzung zwischen Somali und Samburu mit Toten auf beiden Seiten, allerdings in einem entfernteren Gebiet, Richtung Wamba. Man weiß einfach nicht genau, wieso und weshalb dies geschah.«

Während ich dem Missionar zuhöre, erinnere ich mich an die Briefe, die ich damals von James bekommen habe. Er schrieb, dass sie zusammengepfercht in der Nähe von Maralal bei fremden Leuten wohnten. Sie hatten fast alles verloren. Mama wurde damals Gott sei Dank mit einem Wagen rechtzeitig aus Barsaloi weggebracht. Zu all dem Schrecken musste sie zum ersten Mal in ihrem Leben in ein Auto steigen! Von heute auf morgen waren sie im eigenen Gebiet zu Flüchtlingen geworden. Viele Menschen verhungerten damals.

Ich half, so gut ich konnte, war aber zur selben Zeit in der Schweiz arbeitslos. Zwei Jahre später warteten sie immer noch darauf, zurückkehren zu können. Ich dagegen hatte gerade die ersten Erfolge mit meinem Buch. Ein Jahr später im Juli 1999 besuchte Albert sie und konnte ihnen ebenfalls helfen. Wenn ich an die damaligen Fotos von der Familie denke, löst die Erinnerung Beklemmung aus. Zum Glück sieht man heute in Barsaloi keine Spuren der Verwüstung mehr und die meisten Familienmitglieder scheinen die damalige Vertreibung gut überstanden zu haben. Was mich allerdings doch etwas beunruhigt, ist die Tatsache, dass jetzt viele Krieger mit Gewehren herumlaufen.

Meine Gedanken werden vom Pater unterbrochen, der sich verabschiedet, um sich für die Nachtruhe zurückzuziehen. Auch wir kriechen in unsere Zelte und jeder versucht auf seine Weise, die intensiven Eindrücke zu verarbeiten.

Lketingas neue Frau

Am nächsten Morgen erwache ich kurz nach sechs Uhr. Aus dem Dorf höre ich vereinzelte Stimmen und so glaube ich, zu Mama hinübergehen zu können. Um diese Zeit ist es noch recht kühl und ich kann einen Pullover gut vertragen. Als ich kurz darauf den Kral erreiche, ist von außen noch kein Zutritt möglich, weil Dornengestrüpp den Eingang blockiert. Ich spähe über den Zaun, bis mich Lketinga entdeckt. Er hat seine neue Decke über den Kopf gezogen und schlendert langsam durch die Herde auf das »Tor« zu. Lachend öffnet er und fragt mich, warum ich schon so früh auf den Beinen sei. Ich berichte, dass bei uns im Camp noch alles ruhig sei und ich lieber hier unten bei den Tieren warte. Auch möchte ich James um ein paar Eier bitten, da wir nichts mehr zum Frühstücken haben. James hat uns wohl sprechen gehört und kommt verschlafen aus seinem Haus. Nach der Begrüßung übergibt er mir die letzten vier Eier, mehr haben sie zur Zeit nicht.

Ich möchte mich wieder auf den Rückweg begeben, doch Lketinga schickt mich zu Mamas Manyatta, um einen Chai zu trinken. Ich bitte um Einlass und auch Mama staunt lächelnd, dass ich schon so früh unterwegs bin. Zwei ältere Männer haben bei ihr offenbar schon Chai getrunken, denn sie verlassen gerade die Manyatta. Sie reicht mir eine Tasse herüber und stellt gleichzeitig den Topf mit dem gerösteten Fleisch aufs Feuer. Ich bin erstaunt, dass immer noch etwas davon da ist.

Offensichtlich hat sie es wirklich speziell für mich gekocht und verschenkt deswegen kein einziges Stückchen. Sie drückt mir einen Suppenlöffel in die Hand, ermuntert mich wieder mit ihrem »Tamada, tamada« und verlässt anschließend die Hütte. Erfreut und gleichzeitig verlegen esse ich einige Löffel Fleisch zum Frühstück. Ich bin sicher die Einzige, die ein so luxuriöses Essen am frühen Morgen bekommt.

Gedankenverloren kaue ich das Fleisch, als plötzlich Lketingas junge Frau in gebückter Haltung die Manyatta betritt. Sie war wohl der Meinung, dass sich niemand darin aufhält, da Mama und Lketinga draußen bei den Tieren sind.

Erschrocken bleibt sie geduckt im Eingang stehen und scheint sich nicht sicher zu sein, ob sie rückwärts wieder hinausgehen oder eintreten soll. Ich lächle sie an und sage: »Karibu!« Vorsichtig geht sie um Mamas Platz herum und betritt neben der Feuerstelle das Kuhfell. Ich rücke zur Seite, um ihr Platz zu machen, und bin gespannt, was sie tun wird. Sie öffnet Lketingas Metallkiste und nimmt den Rock heraus, den ich für seine Frau – welche auch immer – mitgebracht habe. Neugierig befühlt sie den Stoff und beäugt die Größe, um ihn dann sofort wieder sorgsam zurückzulegen. Ich frage sie mit meinen dürftigen Maa-Kenntnissen, ob er ihr gefällt. Schüchtern und leise antwortet sie mit ja. Dann dreht sie sich um und will gerade die Hütte verlassen, als Lketinga hereinkommt. Jetzt ist er es, der erstaunt schaut, dabei aber keinen Ton von sich gibt, weder zu mir noch zu seiner jungen Frau. Diese macht sich so schmal wie möglich, um schnell die Manyatta verlassen zu können.

Ich muss ein Lächeln unterdrücken, als ich Lketingas ernstes Gesicht sehe. Er setzt sich neben dem Eingang auf einen kleinen Hocker vor das Feuer, greift nach einem Suppenlöffel und lädt ihn mit Fleisch voll. Spielerisch stoße ich mit meinem Löffel die Fleischstücke zurück in den Topf und protestiere: »No, das ist mein Essen, Mama hat es extra für mich gekocht!« Lachend bettelt er: »Only a little bit – nur ein bisschen.«

Natürlich gönne ich ihm das Fleisch, kann es mir aber nicht verkneifen, ihn auf seine Frau anzusprechen, und frage etwas scheinheilig wie nebenbei: »Das war doch gerade deine neue Frau, oder?« Er wird ernst und sagt: »Yes, hast du damit ein Problem?« Ich verneine und frage stattdessen: »Wieso sprichst du nicht mit ihr oder schaust sie nicht wenigstens an?« »Warum soll ich als Mann meiner Frau zuerst Jambo sagen? Sie hat mich noch nie gegrüßt und deshalb grüße ich sie auch nicht! Sie soll zuerst reden, dann spreche ich vielleicht auch mit ihr!«

Er sagt dies so überzeugt, dass ich trotz aller Tragik, die sich dahinter verbirgt, loslachen muss. Etwas verunsichert beginnt auch mein Ex-Mann zu lachen und erklärt, dass das normal sei. Ich versuche ihm klar zu machen, dass diese Form der Sprachlosigkeit noch Monate dauern könnte und es doch besser für beide wäre, wenn sie allmählich miteinander reden würden. Sicher kenne er sie noch gar nicht richtig. Doch, entgegnet er, er habe mit den Eltern gesprochen und sich im Dorf über sie erkundigt. Er wisse viel über seine Frau. Ich erfahre, dass sie aus dem Dörfchen vor Maralal stammt, in dem mir die vielen Plastiktüten an den Büschen aufgefallen sind. Das bedeutet, dass sie ihr ehemaliges Zuhause selten oder vielleicht sogar nie mehr sehen wird, geht es mir durch den Kopf. Ich frage ihn, wie denn diese Ehe gelebt werden könne, wenn sie nicht miteinander sprechen oder lachen? Er erwidert: »Yes, that's crazy! Aber ich spreche sie nicht zuerst an, ich bin doch keine Frau!« Lachend fügt er hinzu: »Vielleicht heirate ich dich ja noch einmal?« Etwas irritiert und verlegen lache ich mit, weil das hier in komischen Situationen das Beste ist.

In diesem Moment fallen mir die Eier ein, die ich draußen auf James' Motorrad gelegt hatte, und etwas schuldbewusst denke ich an meine hungrigen Mitreisenden. Wir verlassen die Hütte und schlendern zur Mission. Im Camp wird gerade Tee und Kaffee gekocht und Albert, Klaus und unsere beiden Fahrer freuen sich über die mitgebrachten Eier, die heute neben ein paar Nüssen und aufgeweichten Chips ihr ganzes Frühstück sind. Als sie sich über meine Enthaltsamkeit wundern, erzähle ich, wie gut es mir in Mamas Manyatta ergangen ist.

Nach dem spärlichen Frühstück gehen wir mit Lketinga zum Kral zurück. Wir treffen auf James, der gerade dabei ist, die kleine Manyatta für die Zicklein mit einer Spraydose gegen Ungeziefer zu desinfizieren. Wieder etwas, das es zu meinen Zeiten noch nicht gab! Während wir uns unterhalten, kommt Lketingas Schwester aus Mamas Manyatta und begrüßt mich wieder überschwänglich. Als Lketinga barsch und energisch auf sie einredet, läuft sie weg. Ich erkundige mich, worum es gerade ging. Lketinga erklärt mit ärgerlicher Gestik: »Gestern Abend war meine Schwester betrunken. Ich will das nicht und ich weiß auch nicht, wie das passieren konnte.« Sofort erinnere ich mich an das Geld, das ich ihr und Mama gegeben habe, und fühle mich mitschuldig.

Gespräche in der Manyatta

James hat sich in der Zwischenzeit die Hände gewaschen und nun kriechen er und ich in Mamas Hütte und setzen uns auf das Kuhfell. Er wird die Rolle des Übersetzers übernehmen und deshalb ist es gut, wenn er in meiner Nähe bleibt. Klaus folgt uns und setzt sich auf den kleinen Hocker neben der Feuerstelle. Lketinga lässt sich neben dem Eingang nieder, während Albert nach der Begrüßung wieder außerhalb der Hütte im Schatten Platz nimmt. Dort kann er alles genauso gut hören wie drinnen, da eine Manyatta nicht aus richtigen Wänden besteht, sondern lediglich einen Sichtschutz bietet.

Mama schaukelt wie immer das Baby von James, während sie uns begrüßt. Heute trägt sie einen der neuen Röcke. James beginnt das Gespräch, indem er ihr erklärt, dass ich sie noch einiges fragen möchte. Sie schaut mich an und bekundet ihr

Einverständnis. Als Erstes möchte ich gerne wissen, was sie empfunden hat, als James ihr mitteilte, dass ich auf Besuch komme. Mama antwortet: »Ke supati pi – sehr schön! Ich habe mich sehr gefreut, aber wie alle anderen konnte ich es nicht recht glauben. Niemand hier im Dorf hat gedacht, dass du nach so langer Zeit wieder zurückkommst. Das nächste Mal aber bringst du Napirai mit, meine kleine Napirai.«

Ich muss lachen, denn meine Tochter ist mittlerweile größer als ich. Doch für Mama bleibt sie die Kleine, so wie sie Napirai zum letzten Mal gesehen hat. Dann fügt sie hinzu, dass es für alle gut sei, mich nach so langer Zeit wiederzusehen. Lketinga nickt und bestätigt sie mit den Worten: »Really, this is very good! Aber niemand hat es geglaubt. Alle Frauen haben nach der Ankunft eures ersten Wagens gesagt: Da stimmt etwas nicht und Mama Napirai kommt doch nicht, wir haben es ja gewusst!« Dabei schüttelt er schmunzelnd den Kopf. Als James dann noch den Spruch »Only a Queen is moving in this way« wiederholt, brechen wir alle, sogar Mama, in Gelächter aus.

Klaus erkundigt sich, wie es war, als ich damals nach Barsaloi kam und sie mich zum ersten Mal sah. Mamas Gesicht ist ernst, als sie nach kurzem Überlegen sagt: »Ich hatte einfach nur Angst.« Ich frage nach, wovor sie Angst hatte. James übersetzt so gut es geht: »Weil eine Weiße etwas Unbekanntes für mich war. Ich dachte, wie soll ich mit ihr sprechen, wenn sie mich nicht versteht? Wer ist sie überhaupt? Ich weiß nichts über sie. Sie ist sicherlich ein anderes Zuhause gewöhnt und jetzt kommt sie hierher und möchte bei uns in einer Rauchhütte leben. Wir haben fast nichts zu essen, trinken stattdessen Milch mit Blut. So viele Gedanken gingen mir durch den Kopf, dass ich einfach Angst hatte. Ich dachte auch, was kann diese Weiße für mich tun? Jede Frau meiner Söhne ist wie ein Kind für mich. Ihre Sorgen sind auch meine Sorgen und umgekehrt. Bei dir, fürchtete ich, würden die Sorgen noch größer sein. Ich glaubte, du könntest mir kein Feuerholz, Wasser und

Essen besorgen, weil du eine Weiße bist. Wer sollte meine Kleider waschen und meine Arbeit erledigen – doch nicht diese Mzungu? Im Gegenteil, wir würden das alles für dich auch noch tun müssen. Ich sah zuerst einfach nur Probleme. Andererseits wusste ich von Lketinga, dass du den weiten Weg von Mombasa gekommen bist, um ihn zu sehen. So musste ich dir auch eine Chance geben – und du bist geblieben. Und du hast hart gearbeitet. Du hast für mich gesorgt und Feuerholz und Wasser gebracht, besser als jedes Kind vor dir. Du hast mir Essen gebracht, wann du konntest, und es ging mir gut. So ist meine Liebe zu dir langsam gewachsen.«

Aufgewühlt höre ich zu und mir laufen wieder Tränen über die Wangen. Bis heute war mir nicht klar, wie viele Sorgen sie sich damals gemacht hatte. Sie erzählt weiter, dass auch die Leute aus dem Dorf zu ihrer Manyatta gekommen seien und sie ständig gefragt hätten, was ich für eine Mzungu sei. Wieso sie mir erlaube, in ihrer Hütte zu leben, wenn sie mich nicht kenne. Wie sie es mit mir überhaupt aushalte, wenn sie nicht mit mir sprechen könne. »Mit der Zeit antwortete ich allen: ›Ich fühle mich trotzdem gut mit ihr und sie erledigt ihre Arbeit. Sie macht keine Probleme und fängt keinen Streit an.‹ Nach einigen Monaten sah ich keinen Unterschied mehr zwischen dir und den eigenen Kindern. Du bist mein Kind geworden. Von da an habe ich die volle Verantwortung für dich und die damit verbundenen Probleme übernommen.«

Ständig wische ich mir die Tränen aus den Augen und schäme mich, weil ich ja nicht heulen soll. Mama schaut zu James und fragt, was mit mir los sei. Schnell bitte ich ihn, ihr zu erklären, dass dies die Art der Mzungus sei, ein gutes Gefühl und starke Emotionen auszudrücken, und sie sich keine Gedanken und Sorgen machen müsse. James übersetzt lachend und nun kann auch sie lächeln.

Lketinga ergänzt Mamas Erzählung: »Yes, es war sehr schwer am Anfang. Auch zu mir kamen die anderen Krieger und wollten wissen, warum ich eine Weiße nach Hause gebracht habe. Ich war der erste Krieger, der eine Mzungu nach Barsaloi brachte und sie heiratete. Alle Leute kamen aus den Häusern und schauten uns misstrauisch an und sprachen manchmal schlecht über die Weißen. Sogar der Mini-Chief kam und fragte mich, warum ich bei ihm keine Erlaubnis eingeholt hätte, um dich zu heiraten. Ich bin doch ein Mann und soll plötzlich einen anderen fragen, wen ich heiraten kann. Crazy!« Wieder müssen wir alle lachen.

Nun erzähle ich, dass Napirai, als wir kurz nach unserer Rückkehr in die Schweiz in einem Dorf wohnten, das erste Mischlingskind war. Auch dort liefen die Kinder zusammen oder rannten davon, weil der Anblick eines farbigen Kindes für sie ungewohnt war. Aber heute leben viele dunkelhäutige Menschen selbst in kleinen Dörfern und die Leute haben sich mit der Zeit daran gewöhnt. Mama nickt und sagt: »Eh na, es ist wie hier.«

James berichtet, dass mittlerweile rund um Maralal noch mehr weiße Frauen bei den Samburu leben, wenn auch nicht gerade in einer Manyatta wie dieser hier. Lketinga sorgt erneut für Heiterkeit, indem er mit rauer Stimme ergänzt: »Aber diese Ladies sind meistens alt und nicht so gut wie du. So eine hätte ich nicht geheiratet.« James gibt ihm Recht und sagt: »Ja, Corinne ist überallhin mitgegangen. Sie hat mit meinem Bruder Verwandte besucht an Orten, wo es kein Wasser gab oder die Kühe mit im Kral lebten wie in Sitedi, und sie hatte keine Probleme damit.« Na ja, ein bisschen schon, geht es mir durch den Kopf.

Mama schaukelt immer noch das kleine Baby und erzählt: »Ich war so glücklich, als du mir ein Enkelkind geschenkt hast, und ich war stolz, dass du mir Napirai anvertraut hast, wenn du fort musstest. Das war der größte Liebesbeweis. Von da an konnte ich dich wirklich voll akzeptieren und sah keinen Unterschied zwischen Weiß und Schwarz. Wir waren eins.«

Mamas Gesicht wird starr und regungslos, und mir ist klar, dass sie versucht, ihre Emotionen zu verbergen. Schnell wischt sie sich mit der freien Hand über die Augen. Zwar bestand zwischen uns eine tiefe Verbundenheit, die ich immer spürte, aber erst jetzt, nach vierzehn Jahren, erhalte ich endlich die Gewissheit.

Für einen Augenblick schweigen wir alle. Fliegen summen um unsere Köpfe. Draußen gackern die Hühner und einige Zicklein blöken. Albert hören wir draußen vor der Hütte mit den Kindern sprechen. Er scheint mit ihnen etwas auf den Erdboden zu malen.

James kommt noch einmal auf den Mini-Chief, der hier eine Art Dorfpolizist ist, zu sprechen: »Er wollte sicher nur Geld von euch. Hier denken nämlich die Leute, alle Mzungus hätten viel Geld, lebten in großen Häusern, besäßen Autos und hätten immer etwas zu essen und keine Sorgen. Sie meinen, alle lebten wie ein Präsident. Ich versuche immer wieder, sie aufzuklären, indem ich sage, dass die weißen Leute auch Sorgen haben, sie aber nicht allen erzählen. Bei den Samburu ist es Tradition, dass du mit jedem, dem du begegnest, ein oder zwei Stunden sprichst. Erst beginnt der Ältere zu berichten, woher er kommt, wer er ist, wie es seinen Tieren und seiner Familie geht, wer krank ist und was er hat, was in seinem Dorf oder Kral gerade passiert ist, und zum Schluss, wohin er geht und weshalb. Der Erzählende erwähnt jedes Detail und das kann schon mal eine Stunde dauern. Danach wiederholt sich das Ganze auf der anderen Seite.«

James spielt uns eine solche Begegnung in einem erfundenen Dialog wie in einem Kabarett vor und wir lachen erneut Tränen. »Hier ist das normal«, erzählt er weiter, nachdem wir uns etwas erholt haben, »denn die Leute sind manchmal stundenlang zu Fuß unterwegs und sehen niemanden. Deshalb sind sie glücklich, wenn sie sich mit jemandem unterhalten können, auch wenn sie sich nicht kennen. Wenn sie dann am Ziel ihrer Reise angekommen sind, berichten sie dem nächsten, wen sie alles getroffen haben und was derjenige ihnen erzählt hat. So wird das Gespräch immer länger und die Nachrichten verbreiten sich in ein paar Stunden über viele Kilometer. Und dann sehen sie ab und zu Weiße, die sich nur ein paar Minuten unterhalten und gleich weiterfahren oder -gehen. So denken sie, diese Menschen hätten keine Probleme, weil sie sich nicht lange unterhalten müssen. Dabei erzählen sich die Weißen nur nicht alle Probleme.«

Wie unterschiedlich die Dinge doch aufgefasst werden können! Unsere Gesellschaft ist dabei, zwischenmenschlich zu verarmen, weil immer weniger Kommunikation zwischen den Menschen stattfindet und viele dadurch krank werden. Die Einheimischen hier dagegen sehen gerade in unserer Sprachlosigkeit ein Zeichen dafür, dass wir keine Probleme haben.

Schon höre ich James weitersprechen: »Ich bin nun auch schon fast wie ein Mzungu. Ich arbeite viel und bin nur noch mit dem Motorrad unterwegs, weil ich eine Menge erledigen muss. Wenn ich dabei Leuten begegne, halten sie mich an der Straße an. Am Anfang dachte ich, es sei wichtig, und stoppte mit dem Motorrad. Aber meistens wollen sie nur wissen, woher ich komme und wohin ich fahre. Oder sie wollen mein Motorrad sehen und alles darüber wissen. Doch ich habe keine Zeit und antworte nur knapp mit ja oder nein. Manchmal erzähle ich nicht einmal, wenn zu Hause jemand krank ist, weil es zu lange dauern würde. Wenn allerdings derjenige später erfährt, dass ich das nicht erwähnt habe, bekomme ich das nächste Mal Vorwürfe. Die Leute können einfach nicht verstehen, dass ich einen Zeitplan einhalten muss, weil ich Verpflichtungen habe. Für sie spielt es keine Rolle, ob sie eine Stunde länger hier stehen oder nicht.«

Bei dieser Beschreibung merkt man ihm an, dass er auch stolz darauf ist, hier im Busch einer der Ersten zu sein, die ein neues, ein moderneres Leben führen. Mich stimmt es nachdenklich, weil es den beginnenden Zerfall der natürlichen Kommunikation andeutet. Letztendlich wird es wahrscheinlich für viele wie in Europa in der Einsamkeit enden.

Klaus spricht ihn darauf an, dass er die kleinen Dinge doch gar nicht mehr mitbekommen kann, wenn er mit seinem Motorrad so schnell durch die Gegend braust. Darauf entgegnet James, dass sich die Zeit eben auch schnell verändert. Lketinga widerspricht: »Mir gefällt das aber nicht. Heute haben viele Moran keine langen Haare mehr, wie ich sie früher hatte. Sie wollen das nicht mehr, auch weil sie zur Schule gegangen sind. Die Mädchen tragen nicht mehr so viel Schmuck, weil die Schulboys ihnen keinen schenken. Die Schulmädchen, wie meine Tochter Shankayon, haben gar keinen Schmuck mehr, weil das verboten ist. Sie wollen sich auch den roten Ocker nicht mehr auf die Haut reiben. Sogar die, die nicht zur Schule gehen, wollen lieber die Hautcremes aus Nairobi benutzen. Kein Mädchen trägt mehr einen Rock aus Tierhaut, der mit Perlen verziert ist, wie du das noch bei meiner Schwester erlebt hast. Nur noch bei Zeremonien werden diese Sachen angezogen.« James fügt hinzu: »Auch das wird in fünf oder zehn Jahren vorbei sein. Schon heute gibt es kaum mehr den traditionellen Halsschmuck aus Giraffenhaaren oder die Elfenbeinohrringe der Krieger.«

Alle diese Aussagen machen mich traurig, obwohl ja auch wir moderne Gegenstände hierher gebracht haben. Jetzt wird mir bewusst, dass ich keine jungen Mädchen oder Krieger gesehen habe, die noch die volle und ursprüngliche Pracht an Schmuck und Farben tragen, wie es noch vor vierzehn Jahren üblich war. Gerade diese fröhlichen und intensiven Farben des Schmuckes und der Kangas verkörpern die Heiterkeit und das intensive Lebensgefühl dieser Menschen. Sollte mit der Zeit das schöne Rot und das satte Blau und Gelb der Tücher und Decken weichen und sich stattdessen die europäische Eintönigkeit der Kleidung breit machen, wie wir dies bereits in Maralal gesehen haben, werden wohl auch der Optimismus und die Fröhlichkeit der Menschen schwinden. Nicht wenige konsumieren bereits heute Alkohol in rauen Mengen. Von den Jugendlichen haben zwar viele mittlerweile eine Schulausbildung, aber zum Erlernen eines Berufes oder zum Studieren fehlt ihnen das Geld. So leben sie mit dem erworbenen Wissen und einer eher westlichen Einstellung in ihrer Kultur und geben die traditionelle Lebensweise immer häufiger auf. Mir scheint, als verlören sie dabei ihre Wurzeln.

Je länger wir uns unterhalten, desto gelöster wird die Stimmung, so dass ich es wage, Lketinga noch einmal zu fragen, wie es damals für ihn war, als er erfuhr, dass ich nicht mehr zurückkehren würde. Er schaut mich an und sagt ernst: »Ich habe es lange nicht geglaubt, weil du vorher immer zurückgekommen bist. Ich hatte bald Probleme mit dem Shop, weil kein Geschäft mehr zu machen war und ich deshalb Geldsorgen bekam. Alle wollten mich betrügen. Als auch noch das Auto gebrannt hat, hatte ich kein Geld, es reparieren zu lassen. Deshalb verkaufte ich das große Auto und bekam dafür ein kleineres. Mit diesem fuhr ich Taxi, bis ich einen Unfall hatte und ins Gefängnis musste. Ich hatte wirklich viele Probleme und möchte gar nicht mehr daran denken.«

James ergänzt: »Ja, als ich drei Jahre, nachdem du in die Schweiz zurückgegangen warst, davon hörte, fuhr ich wieder nach Mombasa, um ihn zu suchen. Lketinga ging es sehr schlecht, als ich ihn fand. Ich bat ihn, mit mir nach Hause zu kommen, was er auch wollte. Wir verabredeten uns für den nächsten Morgen, um mit dem Bus gemeinsam nach Maralal zu fahren. Doch er kam nicht und ich fuhr allein zurück, denn ich musste wieder mit der Schule beginnen. Als ich aber einen Tag danach in Maralal auf eine Mitfahrgelegenheit nach Barsaloi wartete, kam Lketinga plötzlich ganz allein daher und wir gingen zusammen nach Barsaloi. Er hatte natürlich kein Haus, wo er bleiben konnte, und auch sonst nichts, außer vielen Tieren. In all den Jahren, in denen er nicht zu Hause war, hatte sich seine Ziegen- und Kuhherde sehr vergrößert. Unser älterer Bruder hat sein Vieh gehütet. Es ist bei uns üblich, dass die Tiere eines anderen nicht geschlachtet oder verkauft werden.

Auf diese Weise war Lketinga trotz allem reich, als er nach Hause kam. Wir beschlossen, dass es das Beste wäre, wenn er eine Frau sucht, die ein Haus bauen und Kinder bekommen kann. So heiratete er nur einen Monat später seine zweite Frau, Mama Shankayon. Sie bekam aber nach dem ersten Kind viele Probleme. Alle weiteren Kinder sind gestorben. Jetzt ist sie zurück nach Hause zu ihren Eltern gegangen und wir wissen nicht, wann sie wiederkommt.«

Lketinga nickt abwesend und Mama hört stumm zu. Ich spüre deutlich, dass mein Ex-Mann über seine Vergangenheit nicht mehr sagen kann oder will. Stattdessen erwähnt Lketinga wieder das Buch und den Film und fordert James auf, uns über die Vorkommnisse hier in Barsaloi aufzuklären. So beginnt James, etwas ausführlicher zu erzählen: »Ja, wie ihr wisst, kommen immer wieder fremde Leute hierher, meistens Journalisten aus Kenia. Sie wollen erfahren, ob wir den Inhalt des Buches kennen. Ob wir wissen, dass diese Corinne die Samburu schlecht gemacht hat und viel Geld dafür bekommt. Doch wir sagen immer, dass wir den Inhalt des Buches kennen und auch wir Geld bekommen und keine Probleme haben. Sie hat über unsere Familie geschrieben und nur wir können beurteilen, ob es gut oder schlecht, richtig oder unwahr ist. Wir haben sogar bei einem kenianischen Botschafter, der ein Samburu ist und deutsch spricht, nachgefragt und er hat uns ebenfalls versichert, dass alles in Ordnung ist. Wenn sie das hören, ziehen die meisten Journalisten wieder ab. Es gibt aber auch welche, die unbedingt wollen, dass wir etwas Schlechtes über das Buch oder den Film sagen, und wollen uns Geld dafür geben. Einer von ihnen hat sogar zu Lketinga gesagt, er müsse zum District-Officer gehen und verlangen, dass man diese Corinne in der Schweiz ins Gefängnis bringen müsse. Da ist Lketinga sehr böse geworden und hat sie aufgefordert, ihn in Ruhe zu lassen. Doch er wurde weiterhin belästigt.«

Lketinga mischt sich ins Gespräch und bestätigt: »Yes, die waren wirklich verrückt. Ich habe ihnen immer wieder gesagt, dass ich das nicht will. Dass du meine Frau bist und es in Ordnung ist, wenn du ein gutes Leben in der Schweiz führst. Ich möchte auch, dass es meinem Kind gut geht. Mir geht es gut und ich brauche nicht so viel zum Leben wie du in der Schweiz. Du hast ja auch keine Kühe und Ziegen. Aber diese Leute haben nicht aufgegeben, bis ich ihnen drohte, sie zu verprügeln, wenn sie nicht verschwinden, denn sie haben die Menschen hier in Barsaloi verunsichert.« James fügt hinzu: »Auch unser Priester, der das Buch in Spanisch gelesen hat, hat mit den Leuten gesprochen und ihnen gesagt, dass nichts Schlechtes in dem Buch steht. Nun ist alles wieder normal hier und alle freuen sich sehr, dass ihr, du und der Verleger des Buches, hierher gekommen seid.«

Nun kriecht auch Albert in die Manyatta und erklärt, dass er mich schon lange kenne und wisse, wie sehr ich an meiner afrikanischen Familie hänge und wie besorgt ich war, als es ihnen nicht gut gegangen ist. Unser gemeinsames Schicksal beschäftige ihn und seine Familie bereits viele Jahre und deshalb fühle auch er mit den Menschen hier in Barsaloi eine enge Verbundenheit. Für ihn sei es sofort klar gewesen, dass er diese Reise antreten würde, denn er wollte die Familie und die wunderbare Mama wiedersehen. Auch ihm sei es ein Anliegen, zu helfen, wo er könne. James übersetzt für Mama und sie bedankt sich bei Albert mit einem Händedruck und den Worten »Asche oleng«.

Zum Schluss möchte Albert von Mama wissen, was sie von ihrer Zukunft erwarte oder sich wünsche. Sie denkt kurz nach und antwortet: »Es geht mir wirklich gut. Ich wünsche mir, dass ich gesund bleibe und meine Augen noch lange sehen können. Aber auch wenn ich einmal blind werde, möchte ich weiterhin ein so gutes Leben führen wie jetzt und hoffe, dass es immer so bleibt. Mehr brauche ich nicht.« James bestätigt das, indem er erzählt, dass er ihr ein Häuschen bauen lassen wollte, doch sie hätte abgelehnt. Sie möchte nur in ihrer Manyatta sein und ist glücklich, dass nun alle wieder zusammen sind. Manchmal verlässt sie drei Tage die Hütte nicht, ist aber zufrieden, weil immer Kinder oder Besucher bei ihr sind. Es ist schön zu sehen, dass nach wie vor die alten Menschen so gut ins Alltagsleben integriert werden.

Lketinga, nach seinen Wünschen befragt, erklärt zu meiner Verwunderung: »Ich möchte, dass du nicht sagst, dass du nicht mehr meine Frau bist. Das gibt es bei uns nicht. Egal, wo du lebst, du bleibst meine Frau. Ich möchte nicht hören, dass ein anderer Mann bei dir lebt. Es ist okay, aber ich möchte es einfach nicht hören. Ich denke immer daran, dass du meine Frau bist. Ich hoffe, du kommst jetzt öfter, denn Samburu gehen nicht auseinander.«

Diese Worte rühren mich und gleichzeitig fühle ich mich überfordert und etwas eingeengt. So einfühlsam wie möglich versuche ich ihm zu erklären, dass es normal ist, dass ich nach einer so langen Trennung nicht immer alleine bleiben kann. Er habe ja auch wieder geheiratet, und das gleich zwei Mal. Dabei lache ich, um die Situation zu entspannen. Er erwidert: »Ja, es ist in Ordnung, aber sprich nicht mehr darüber.« Unbewusst hatte ich in keinem meiner Briefe an James erwähnt, dass ich nicht mehr mit meinem letzten Lebenspartner zusammen bin, was im Moment sicher hilfreich ist.

James meint, dass es schwierig sei, hier die richtigen Worte zu finden, und beendet das heikle Thema, indem er über seine Wünsche für die Zukunft spricht: »Ich möchte mein Haus noch etwas vergrößern, damit ich mehr Platz habe, wenn Besuch kommt. Meine Gäste sollen komfortabel untergebracht sein. Außerdem wünsche ich mir ein Mobiltelefon, damit ich zumindest in Maralal, wo es bereits ein Funknetz gibt, besser und schneller kommunizieren kann. In Barsaloi ist noch kein Netz eingerichtet und das wird bestimmt noch eine ganze Weile dauern. Einen Fernseher hätte ich auch gerne, damit ich weiß, was im Land passiert oder gar auf der ganzen Welt, vielleicht sogar in Deutschland oder der Schweiz.« Er lacht und beendet seine Wunschliste: »Mehr brauche ich vorläufig nicht.«

Saguna

Draußen vor der Manyatta hören wir nun Stimmen und Lketinga meint, dass Saguna gekommen sei. Ich freue mich und bin neugierig. Wir beenden unser Gespräch und kriechen alle nach fast drei Stunden aus der Hütte. Das grelle Sonnenlicht blendet mich. Albert setzt sich auf den kleinen Hocker vor der Manyatta und ist sofort wieder von malenden Kindern umringt. Weiter hinten entdecke ich Lketingas Frau beim Bauen einer neuen Manyatta. Das junge Mädchen flicht gerade die dünnen Weidenäste in die Seitenwände.

Stefania erscheint und erzählt, dass Saguna in ihrem Haus auf uns warte. Ich trete ein und erblicke zuerst Lketingas Schwester, die mit ernstem Gesicht auf dem grünen Wandtischchen sitzt. Hinter ihr versteckt entdecke ich Saguna. Sie ist von Kopf bis Fuß traditionell geschmückt und sieht umwerfend schön aus. Als ich damals das Dorf verlassen hatte, war sie gerade etwa vier Jahre alt. Und nun stehe ich einem robusten, schönen Mädchen von ungefähr achtzehn Jahren gegenüber. Freudig begrüße ich sie, auch wenn sie eher schüchtern reagiert. In all den Jahren habe ich sie nie vergessen. In meinen Briefen fragte ich immer wieder nach ihr und bekam zur Antwort, dass sie nun eine fast erwachsene Frau sei und schon lange nicht mehr bei Mama in der Hütte lebe.

Saguna trägt einen roten Rock und um die Schultern hat sie einen blauen und einen gelben Kanga geschlungen, die ihre nackten Brüste bedecken. Den gelben Kanga tragen nur unbeschnittene Mädchen im heiratsfähigen Alter. Ihr Hals und ihre Brust sind über und über mit Perlenschmuck bedeckt. Über den vielen roten Perlenschnüren trägt sie eine außergewöhnlich bunte Schmuckschicht, die wie ein Teller wirkt. Allein diese zusammengeknüpfte Pracht wiegt sicher zwei Kilogramm. Der Kopf ist umrahmt von einem eng anliegenden farbigen Perlenstirnband. Daran ist ein rotes Perlenkreuz befestigt, an dem wiederum viele kleine Metallplättchen hängen. Die Stirn selbst schmückt ein Perlmuttknopf mit einem verzierten Metallkreuz, das bis über die Nase reicht. Daran sind nochmals zwei Kettchen befestigt, die links und rechts über die Wangen fallen und nach hinten wieder mit dem Stirnband verbunden sind. Derart geschmückt erscheinen Sagunas Gesichtszüge zierlich und weich. Mir fällt auf, dass sie ihrer verstorbenen Mutter unglaublich ähnlich sieht. Diese starb leider bei einer Geburt, als Saguna etwa elf Jahre alt war. Doch glücklicherweise lebte sie damals noch bei Mama.

Man merkt ihr deutlich an, dass sie es nicht gewöhnt ist, im Mittelpunkt zu stehen. Das ist bei Mädchen ohnehin nur bei der Hochzeit und der damit verbundenen Beschneidung der Fall. Wenn ein Mädchen geboren wird, so ist dies für den Vater normalerweise nicht von großer Bedeutung. Er versucht, bei der Geburt nicht anwesend zu sein. Handelt es sich jedoch bei dem Neugeborenen um einen Sohn, sind die Rituale bei der Geburt wesentlich aufwändiger als bei den Mädchen. Auf diese Weise weiß die Nachbarschaft schnell, welches Geschlecht das Kind hat, auch wenn sie das Neugeborene wegen der Angst vor schädlichem Zauber erst Wochen später zu Gesicht bekommen.

Saguna sitzt, die Hände im Schoß, mir gegenüber und schaut mich scheu, aber neugierig an. Ich mache ihr Komplimente, die sie bescheiden entgegennimmt. Weil ich weiß, dass sie vier Stunden durch die heiße Steppe gelaufen ist und deshalb sicher Durst und Hunger hat, bitte ich James, ihr etwas anzubieten. Doch er erwidert, dass sie in der Manyatta von Mama etwas bekommen werde. Ich vermute, dass es sich hierbei wieder um einen traditionellen Verhaltenskodex handelt. Saguna ist noch eine unbeschnittene junge Frau und kann wohl deswegen nicht im Haus von James bewirtet werden, da er vor einiger Zeit noch den Status eines Kriegers hatte.

So schlage ich vor, dass sie erst Mama besucht und wir uns später unterhalten können. Als sie das Haus verlassen hat, frage ich James, wann Saguna verheiratet werde. Er weiß es nicht und auch Lketinga kann mir später keine Auskunft darüber geben. Mir fällt nur auf, dass sie mit ihren achtzehn Jahren eher zu den älteren unverheirateten Mädchen gehört. Sie muss jedoch einen Freund unter den Kriegern haben, ansonsten besäße sie nicht so viel Schmuck. Dieser bedeutet für ein Mädchen eine Art Statussymbol. Je mehr Schmuck sie bekommt, desto begehrter ist sie, und ihr Hochzeitspreis kann dann mehr als sieben Kühe betragen. Leider dürfen die Mädchen aber nie ihren Freund heiraten. Dieser hat am Hochzeitstag nur die Pflicht, das Fett und den roten Ocker anzurichten, den sich die Braut auf den Körper reiben wird.

Meistens arrangiert der Vater eine Heirat. Er achtet darauf, dass die Ehe unabhängig von äußerlichem und sexuellem Begehren ist. Stattdessen ist der Ruf der Familie der Auserwählten von großer Bedeutung. Die zukünftige Frau muss Kinder gebären, den Haushalt führen und nach der Herde des Mannes schauen, bis später ihre Kinder diese Aufgabe übernehmen können. Die Auserwählte weiß manchmal gar nicht, wer ihr Ehemann sein wird. Am begehrtesten sind die Männer, die gerade ihre Kriegerzeit beendet haben, denn vorher darf kein Mann heiraten. Haben die Mädchen Pech, werden sie mit einem alten Mann oder gar mit einem Greis als dessen dritte oder vierte Frau verheiratet und müssen den Anweisungen der ersten Frau gehorchen.

Die Vorstellung, dass Saguna ein solches Schicksal drohen könnte, beunruhigt mich und macht mich traurig. Ich frage James, ob es denn für Saguna keine Möglichkeit gäbe, etwas Derartiges zu verhindern. »Nein, Saguna kennt nur dieses traditionelle Leben und daran kann man nichts ändern. Alles nimmt seinen Lauf. Sie wird ihre Zeremonie bekommen und später ein neues Zuhause bei ihrem zukünftigen Mann haben.« Er sagt dies so bestimmt und selbstverständlich, dass ich nicht umhin kann einzusehen, dass es noch ein langer Weg ist, bis diese Frauen ein Recht auf ein eigenständiges Leben haben werden.

In diesem Moment wird mir bewusst, wie absurd und zwiespältig meine eigene Einstellung ist: Einerseits bewundere ich die Schönheit und Farbenpracht der traditionellen Kleidung von Kriegern und jungen Mädchen und wünsche mir, dass die Samburu-Traditionen noch lange bewahrt werden mögen, andererseits hätte ich es gerne, wenn die Gebräuche und Rituale, die mein europäisches Empfinden stören, verändert würden. Diese Einsicht schmerzt mich und gleichzeitig bin ich froh, dass meine Tochter Napirai in der Schweiz aufwachsen kann. Sie ist ungefähr zwei Jahre jünger als Saguna und wenn sie hier leben würde, hätte sie wohl keine Chance, ein selbstbestimmtes Leben zu führen, auch wenn ich noch so sehr darum gekämpft hätte.

Als wir etwas später das Haus verlassen, sehe ich Saguna unter der Akazie auf einem Stein sitzen. Sie spielt mit Shankayon und zwei anderen Mädchen. Ich setze mich neben sie und warte gespannt. Ihren schönen Kopfschmuck hat sie abgenommen, da es ihr wohl zu heiß ist. Ab und zu fasst sie mit den Händen unter ihren Halsschmuck und hebt ihn an, um etwas Luft an ihre Haut zu lassen. Plötzlich fragt sie nach Napirai. Ich versuche, etwas zu erzählen, komme jedoch aufgrund der Sprachprobleme nicht sehr weit. Deshalb bitte ich Shankayon, bei Mama das kleine rote Fotoalbum zu holen. Mittlerweile ist auch Lketinga wieder da und übersetzt für mich.

Nun möchte ich von ihr wissen, ob sie sich an mich erinnern kann, ob sie noch weiß, dass ich ihr einmal eine braune Puppe mitgebracht habe und wie wir öfter zusammen am Fluss waren. Sie beantwortet alles mit einem ernsten Nicken. Shankayon hüpft nun mit dem Album in den Händen auf uns zu und überreicht es Saguna. Sie blättert darin und beginnt natürlich mit den neuesten Bildern von meiner Tochter. Verwundert fragt sie, ob dies wirklich Napirai sei. Lketinga erklärt ihr ausführlich die einzelnen Bilder, auf denen Napirai im Schnee, auf dem Eis oder beim Badespaß abgebildet ist. Sie betrachtet alles mit Staunen und großem Interesse. Es muss für sie etwas Besonderes sein, ein Mädchen zu sehen, das nicht viel jünger ist als sie und in einer solch andersartigen Welt lebt, obwohl sie am gleichen Ort geboren wurde. Sicher kommt es ihr komisch vor, Napirai mit langen Haaren zu sehen. Ihr eigener Kopf ist kahl geschoren, denn lange Haare entsprechen hier bei Frauen und Mädchen nicht dem Schönheitsideal. An den Fotos, auf denen meine Tochter Jeans trägt, bleibt ihr Blick eine ganze Weile haften. Ich würde so gerne wissen, welche Gedanken ihr durch den Kopf gehen!

Mittlerweile beugen sich schon wieder mehrere Köpfe über das Album und vor allem Shankayon strahlt über die Fotos ihrer Halbschwester Napirai. Immer wieder durchblättert Saguna das kleine Album von vorne nach hinten und flüstert und lacht mit den anderen Mädchen. Ich setze mich näher zu ihr und betrachte ihre schlanken Arme, die mit mehreren farbigen Armreifen geschmückt sind. Nach einer Weile fragt sie mich: »Warum hast du Napirai nicht mitgebracht? Wo ist sie jetzt und bei wem?« Ich erzähle ihr, dass sie in der Schule ist und während meiner Abwesenheit bei der Familie einer Freundin aufgenommen wurde. Lketinga übersetzt und ergänzt, dass sie nach dem Schulende vielleicht auf Besuch kommen wird.

Saguna hört aufmerksam zu und berührt dabei sachte meinen Arm. Offensichtlich ist sie von meinem silbernen Armreif fasziniert, in dem sie sich spiegeln kann. Durch die sanften Berührungen fühle ich wieder die Nähe zu ihr, die sich während unseres Zusammenlebens in Mamas Manyatta aufgebaut hatte. Damals war sie für mich der kleine Sonnenschein, der in manch traurigem Moment den Tag erhellte. Ich komme mir hilflos vor, wenn ich an ihr Schicksal denke, denn ich kann sie nicht davor bewahren. Aber vielleicht würde sie das gar nicht wollen, sondern möchte hier in ihrem Stamm aufgenommen und respektiert werden. Ich wünsche ihr von ganzem Herzen, dass sie einen guten jungen Mann bekommt.

Klaus hat in der Zwischenzeit Filmaufnahmen gemacht und Shankayon hat Saguna wahrscheinlich erzählt, dass man sich auf dem Monitor sehen kann. Nun setzt sie sich neben Klaus, der ihr die Kamera zeigt. Zuerst erschrocken und dann belustigt schaut sie auf die bewegten Bilder. So hat sie sich noch nie gesehen und dementsprechend neugierig bestaunt sie das Ganze. Immer wieder muss Klaus vor- und wieder zurückspulen und wir alle werden von dem kindlichen Staunen angesteckt. Doch leider ist es bald an der Zeit, dass Saguna sich auf den weiten Heimweg begeben muss. Morgen beginnt wieder das Alltagsleben, in dem sie mit der Herde unterwegs sein wird. Ich überreiche ihr einen schönen Rock, eine gut riechende Seife und eine Körpercreme, die ich für sie mitgebracht habe. Sie freut sich sehr über die Geschenke und verstaut sie unter ihrem Kanga. Als wir uns verabschieden, weiß ich, dass ich sie in dieser Natürlichkeit und Farbenpracht wohl nie mehr sehen werde.

Neue Essgewohnheiten

James lädt uns nun zum Essen in sein Haus ein. Stefania verteilt Aluminiumteller und stellt einen Topf mit Spaghetti auf den Tisch. Wir essen mit großem Appetit, obwohl bei uns ein solches Gericht anders aussieht. Stefania hat die Spaghetti in kurze Stäbchen gebrochen und beim Kochen Ziegenfleisch und Gemüse dazugemischt.

James erzählt, dass sich bei einigen der Dorfbewohner, vor allem in den Familien von ehemaligen Schülern, die Esskultur verändert hat. Er kenne Spaghetti schon von der Schule und deshalb sei dieses Gericht nichts Außergewöhnliches für ihn und seine Familie. Seine Kinder wachsen damit auf. Mich interessiert, ob denn auch Mama heute Nudeln essen würde. Früher verzichtete sie lieber, als etwas zu sich zu nehmen, das sie nicht kannte. Die einzige Ausnahme waren Ananas. James lacht und erwidert: »Nein, Mama mag das nicht essen, aber sie liebt nach wie vor Ananas und immer, wenn ich ihr eine mitbringe, beginnt sie von dir zu reden. Du hast sie ihr schmackhaft gemacht.« Daran kann ich mich lebhaft erinnern und sehe sie förmlich vor mir, wie sie langsam und vorsichtig an den Ananasstückchen saugt.

Auf meine Frage, ob denn die Somali-Shops mittlerweile auch solche Waren verkaufen, antwortet James energisch: »Es gibt hier keine Somali mehr. Wir haben alle vertrieben. Weißt du, als du Barsaloi verlassen hast und damit der einzige Samburu-Shop geschlossen wurde, sind die Preise für Maismehl und Zucker in die Höhe geschnellt. Die Somali haben sich nicht mehr an die vom Staat vorgeschriebenen Preise gehalten, wie wir es getan haben, sondern verdoppelten sie. Die Leute hier im Dorf schimpften und jammerten. Alle haben geklagt: ›Warum ist Corinne nicht mehr hier? Jetzt haben wir keinen guten Shop und kein Auto mehr.‹ Das Wenige, was die Somali anboten, war zu teuer, und für die Ziegen- und Kuhhäute gaben sie den Leuten auch nicht mehr so viel Geld wie du. Damals kamen viele Dorfbewohner zu mir und fragten: ›Was können wir tun, damit Corinne wieder hierher kommt? Nur Mzungus können einen solchen Shop betreiben und keine andere wird mit uns so leben wollen wie sie.‹ Sie schlugen mir sogar vor, ich solle dich bitten zurückzukommen und ich solle dich heiraten! Sie waren so verzweifelt, dass sie die verrücktesten Ideen hatten.« Ich trinke erst einmal in Ruhe meinen Tee aus, um das Gehörte zu verdauen. Vor allem das mit dem Heiratsvorschlag höre ich zum ersten Mal und muss bei der Vorstellung lachen.

Auch James fällt in mein Lachen ein und fährt mit seiner Erzählung fort: »Ich habe ihnen gesagt, dass wir uns zusammen tun und eigene Samburu-Shops eröffnen müssen, damit wir den Preis wieder kontrollieren können. So entstanden nach und nach so viele Läden, dass jetzt sogar ein Überangebot besteht und das Geschäft nicht mehr so gut läuft.«

Lketinga kommt herein und setzt sich neben mich auf das einfache Sofa, während er mit finsterer Miene fragt, ob wir über ihn gesprochen haben. Irgendwie scheint er schlechter gelaunt zu sein als noch vor einer Stunde. Niemand weiß, warum und wo er sich aufgehalten hat. Einen kurzen Moment denke ich, dass er sich vielleicht etwas ausgeschlossen fühlt, wie damals vor vierzehn Jahren, als James mit seinen Schulfreunden zu uns nach Hause kam und wir zusammen Karten spielten und lachten. Um ihn aufzuheitern, frage ich ihn, ob er sich noch an das Spaghetti-Essen in Mombasa mit meinem Bruder Eric und seiner Frau Jelly erinnern könne. Damals herrschte helle Aufregung, weil alle dachten, wir essen lange weiße Würmer. Mit seiner kratzigen Stimme meint er lachend: »Natürlich erinnere ich mich, es war verrückt! Und heute essen das sogar einige Leute aus dem Dorf.«

Reisepläne

Später besprechen wir den weiteren Ablauf unseres Besuches und beschließen, morgen wie geplant zum Filmset zu fahren, dort zwei Tage zu verbringen, dann Pater Giuliani zu besuchen und anschließend hierher zurückzukommen. So können sich alle etwas erholen und bei der Familie wird wieder ein wenig Normalität einkehren. Wenn wir zurück sind, würden wir gerne gemeinsam ein Abschiedsfest für alle, die kommen möchten, ausrichten. Leider können wir als Gäste nicht viel dazu beitragen. Wir möchten aber die Kosten übernehmen, während auf die Familienmitglieder viel Arbeit zukommt. Sie werden vier Ziegen schlachten und große Mengen Reis und Bohnen kochen. Dafür müssen sie erst genügend Feuerholz sammeln und mehrere Kochstellen errichten. Eine große Aufgabe, wenn man kein Auto und wenig Zeit zur Verfügung hat. James erklärt sich bereit, für die Lebensmittel zu sorgen. Als er Lketinga fragt, ob er die Ziegen kaufen könne, erhält er die barsche Antwort: »Nein, ich habe keine Zeit, ich gehe mit Corinne und schaue auch zum Film. Ich möchte wissen, was sie da machen!«

Oh Gott! Bei dem Gedanken wird mir ganz elend. Wie soll das nur gut gehen? Ich weiß, dass es für mich schon schwierig genug sein wird, am Filmset alles zu erfassen und zu begreifen. Wie soll ich dann noch die Energie aufbringen, Lketinga immer wieder alles zu erklären? Mir ist ja selbst nicht klar, was mich erwartet und wie ich es verdauen werde. Zudem die Verantwortung für jemanden zu übernehmen, der nicht weiß, was eine Filmproduktion bedeutet, ist mir einfach zu viel.

Mir kommt die Szene in den Sinn, als ich mit Lketinga einmal einen Film in der Barsaloi-Mission anschaute. Es handelte sich dabei ausgerechnet um das Kolossalepos »Ben Hur«. Lketinga war ungeheuer aufgewühlt und wollte mir nicht glauben, dass dies nichts mit dem heutigen Mzungu-Leben zu tun hatte. Er war fest davon überzeugt, dass es bei uns in Deutschland oder der Schweiz genauso zuging wie im Film. Nach etwa zwanzig Minuten mussten wir die Vorführung verlassen und hatten anschließend einen von viel Misstrauen belasteten Streit. Ich konnte ihm damals nur erklären, dass ein Film nichts mit dem wirklichen Leben zu tun hat.

Und nun will er mit zum Filmset, wo ein Film über die Samburu und einen Teil seines eigenen Lebens gedreht wird. Wie soll er damit klar kommen, zumal nicht einmal ein fertiger Film zu sehen ist, sondern komplizierte und undurchschaubare Dreharbeiten im Gang sind? Nein, diese Verantwortung kann und will ich nicht übernehmen, da ich nicht einmal meinen eigenen Gemütszustand einschätzen kann.

Gott sei Dank mischt sich nun James in die Diskussion ein und unterstützt uns, indem er Lketinga erklärt, dass er hier gebraucht werde. Er könne doch nicht abwesend sein, während das ganze Dorf für seine Gäste ein Fest vorbereitet. Das sieht er ein und verspricht, auf uns zu warten und die Ziegen zu kaufen.

Ein Blick auf die Uhr erinnert mich, dass ich mich auf den Weg zur Mission begeben sollte, um den Radiocall mit Pater Giuliani nicht zu verpassen. Klaus und Lketinga begleiten mich. Die Missions-Angestellte empfängt uns freundlich und führt uns in einen Flur, in dem das Sende- und Empfangsgerät installiert ist. Aus einem altertümlichen Kasten ertönen bereits verschiedene Gespräche, mal in Kisuaheli, mal in Italienisch oder Englisch. Lketinga hört aufmerksam zu und versteht offensichtlich mehr von diesem Gerät als ich. Nach einigen Minuten stößt er mich an und sagt ganz ruhig, dass ich jetzt sprechen muss.

Plötzlich höre ich Pater Giulianis Stimme nach über vierzehn Jahren zum ersten Mal wieder. Sie hört sich nach wie vor kräftig an. Offensichtlich freut er sich auf unseren Besuch und versucht zu beschreiben, wie wir ihn finden können. Doch es hört sich so kompliziert an, dass sich Giuliani kurz entschlossen bereit erklärt, uns in drei Tagen Punkt zwölf Uhr mittags in der Barsaloi-Mission abzuholen. Gerade will ich mich überschwänglich bedanken, als die Verbindung bereits unterbrochen ist.

Wir schlendern zurück zu Albert und James in den Kral. Die Tiere sind wieder da und es herrscht das uns inzwischen vertraute bunte Treiben. Alle Frauen melken die blökenden Ziegen. Lketingas Schwester nimmt mich am Arm, drückt mir eine Tasse in die Hand und fordert mich lachend auf, es auch einmal zu probieren. Ich versuche mein Glück bei einer großen weißen Ziege und freue mich, dass ein kleiner dünner Milchstrahl in die Tasse spritzt. Allerdings bin ich natürlich nicht geübt und muss zugeben, dass hier jedes dreijährige Kind das Melken besser beherrscht. Bald bin ich von einer lachenden Kinderschar umringt. Ich liebe die Fröhlichkeit dieser

Menschen. Trotz der harten Lebensbedingungen haben viele ihren Schalk nicht verloren. Die Kinder hüpfen den Zicklein hinterher und es wird gelacht und gekichert wie überall auf der Welt, wo Kinder spielen. Nach Einbruch der Dunkelheit sind die Menschen damit beschäftigt, Maisbrei und Tee zu kochen, und auch wir ziehen uns ins Camp zurück. In etwa einer Stunde wollen Lketinga und James noch einmal vorbeischauen.

Im Camp lassen wir uns auf den Klappstühlen nieder und unsere Fahrer Francis und John gesellen sich zu uns. Sie sind sehr sympathisch und freundlich und wachen all die Tage über die Autos und unsere Sachen. Wie schon gewohnt, wollen sie uns einen Drink bringen. Doch wir verzichten darauf, da wir nicht wollen, dass Lketinga Alkohol sieht, wenn er kommt. Ich möchte ihn auf keinen Fall gefährden, denn bis jetzt hat er offensichtlich wirklich nichts getrunken.

Auf dem hohen Wassertank sitzen die vier Schwestern und meditieren. Ihr kleiner wolliger Hund leistet uns Gesellschaft und ist bald der Liebling von Albert und Klaus. Wir alle genießen für eine Weile die Stille und hängen unseren Gedanken nach. Das so lang herbeigesehnte Wiedersehen hat all meine Erwartungen übertroffen und ich fühle mich zufrieden und wohl. Dennoch ist mir klar geworden, dass ich hier nicht mehr leben könnte. Obwohl manches einfacher geworden ist, ist das Leben nach wie vor rau und karg. Vor allem der langsame, immer wiederkehrende Rhythmus des Alltags wäre für mich mit der Zeit schwer zu ertragen. Wie habe ich das damals nur gemacht? Es war wohl nur möglich, weil ich Lketinga über alles liebte und meist hart ums Überleben kämpfen musste.

Mit seinem eleganten Gang schlendert Lketinga langsam auf uns zu und berichtet, dass er schon zwei Ziegen gesehen hat, die er kaufen möchte, aber abwarten wolle, bis wir weggefahren sind, weil dann die Preise niedriger sind. Er werde nach seinem älteren Bruder schicken lassen, damit auch er zum Abschied kommen kann. Während er erzählt, eilt James an uns vorbei und unterhält sich mit dem Pater, bevor er sich kurz darauf zu uns setzt. Auch er steckt mitten in den Vorbereitungen für das große Fest in vier Tagen. Als wir ihn besorgt fragen, was ist, wenn das Essen nicht für alle reicht, beruhigt er uns: »Für uns Samburu ist das kein Problem. Bei uns darf jeder zu einem Fest kommen und wir dürfen niemanden abweisen. Doch wenn es nichts mehr zu essen oder trinken gibt, ist das nicht schlimm. Wir sind nicht verpflichtet, so lange Essen anbieten zu können, bis jeder satt ist. Da ich mit dem halben Dorf rechne, wäre das auch gar nicht möglich. Wichtig ist, dass wir genügend Tabak für die Alten haben.« Lketinga nickt zustimmend und ist überzeugt, dass alles klappen wird. Nach einer weiteren halben Stunde verabschieden wir uns und vereinbaren, morgen vor der Abfahrt noch einmal zum Kral zu kommen. Bevor er geht, fragt Lketinga: »You sleep good alone here, no problem?« Dabei zeigt er auf mein Zelt. Ich lache und erwidere: »Hakuna matata – keine Probleme und gute Nacht.« Dann krieche ich ins Zelt und es dauert nicht lange, bis ich eingeschlafen bin.

Aufbruch zum Filmset

Früh am Morgen erwache ich und weiß nicht, welches Geräusch mich geweckt hat. Ich lausche nach draußen und vernehme das lang gezogene Schreien eines Esels, das sich mit dem Bellen eines Hundes vermischt, und wie jeden Morgen höre ich Dutzende von Vogelstimmen in allen Tonlagen. So verbunden mit der Natur zu sein und nicht durch Motoren- und Straßenlärm geweckt zu werden, wirkt sehr beruhigend auf mich. Neugierig auf den heutigen Tag krieche ich aus dem Zelt. Die Fahrer sind bereits auf den Beinen und können es anscheinend kaum erwarten, wieder einmal ihre Autos bewegen zu können. Es dauert nicht lange und alle stehen in der Morgenfrische um den Gaskocher herum und warten auf heißen Tee oder Kaffee. Der drollige Hund der Schwestern, den wir inzwischen Willi getauft haben, hängt auch schon am Hosenbein von Klaus, was für allgemeine Heiterkeit sorgt. Zu essen gibt es die letzten Krümel Chips und Nüsse, doch schmecken will das niemandem so recht.

Francis und John packen gekonnt die Dachzelte zusammen und wir verstauen unsere persönlichen Dinge, bevor wir zum Kral hinübergehen. Lketinga kommt uns entgegen und James steht bereits abfahrbereit bei seinem Motorrad. Wir besprechen letzte Einzelheiten für das Fest und geben James das nötige Geld für die Einkäufe. Mama kommt aus der Hütte, um uns zu verabschieden. Da wir alle wissen, dass wir bald wieder hier sein werden, fällt der Abschied nicht allzu schwer. Ich umarme Mama und lasse ihr sagen, dass ich mich freue, sie schon bald wiederzusehen, was sie mit einem Lächeln zur Kenntnis nimmt. James startet sein Motorrad und hinterlässt wie immer eine Staubwolke. Kurz darauf werden auch wir von unseren Fahrern abgeholt. Lketinga schaut mich nicht an, sondern berührt mich nur leicht am Arm und sagt: »Lesere – auf Wiedersehen!« Er geht langsam weg, dreht sich noch einmal um und fragt: »Kommst du nach zwei Mal oder nach drei Mal schlafen wieder?« Ich antworte: »Zwei Mal, aber dann halten wir nur kurz hier in Barsaloi, um uns mit Giuliani zu treffen, und fahren dann weiter nach Sererit. Dort bleiben wir eine Nacht und nach drei Mal schlafen sind wir wieder hier zum Fest.« Mit ernstem Gesicht sagt er: »Okay, no problem, geht jetzt.«

Wir fahren wieder durch den ausgetrockneten Barsaloi-River und an der Schule vorbei. Kurz darauf biegen wir in Richtung Wamba ab. Abzweigungen sind hier nie mit Wegweisern versehen. So kann man nur erahnen, wohin man fährt, zumal die Naturstraßen alle gleich aussehen: rote Erde mit einigen Löchern und ab und zu Fahrspuren, immer wieder unterbrochen von kleineren ausgetrockneten Flussläufen. Wir bewegen uns in einer einzigartigen Landschaft, die geprägt ist von zahlreichen Schirmakazien. Ab und an leuchtet ein kleiner Busch mit wunderschönen großen roten Blüten mitten in dieser Halbwüste und zeigt an, dass die Natur auch ohne viel Wasser lebt. Ein unglaublich schöner Anblick! Am Horizont erkenne ich die Bergketten mit ihrem dichten Urwald, in den sich in der Trockenzeit die wilden Tiere zurückgezogen haben.

Der Himmel ist heute zum ersten Mal nicht durchgehend blau, sondern mit weißen Wolken durchzogen. In etwa drei Wochen wird die Regenzeit beginnen. Dann verwandelt sich dieses Gebiet mit unglaublicher Geschwindigkeit. Die Flüsse schwellen so schnell an, dass sie alles mit ihrer braunroten Wasserwucht mitreißen. Sie sind dann für einige Tage nicht mehr passierbar. Die Erde, die jetzt staubig und trocken aufwirbelt, wird zu einem wahren Schlammfeld. Dies wollen wir möglichst während unserer kurzen Safari nicht erleben und hoffen, dass auch das Filmteam verschont bleibt. Mein Blick schweift immer wieder durch diese grandiose Gegend. Bei genauerem Hinsehen erkenne ich hin und wieder einzelne Krals in der Steppe. Sie sind der Umgebung sehr gut angepasst und farblich kaum davon zu unterscheiden. Nur die kreisförmige Dornenumzäunung deutet sie an.

Obwohl wir mit geringem Tempo unterwegs sind, müssen die Fahrer sehr konzentriert sein. Immer wieder tauchen mitten auf der Piste Tiere auf, die durch den Motorenlärm aufgeschreckt werden. Die Kamele können nur langsam ausweichen, da die meisten ein Vorderbein am Kniegelenk hochgebunden haben, damit sie auf drei Beinen nicht so schnell weglaufen können. Für uns ist das kein schöner Anblick, doch scheint es ein brauchbares Mittel zu sein, die Herde beisammen zu halten.

Am Straßenrand stehen hin und wieder Kinder jeden Alters, winken fröhlich unseren Wagen hinterher oder halten uns ihre leeren Hände entgegen. Ich kann nicht anders und verteile die letzten Süßigkeiten, die wir dabei haben. Die meisten freuen sich, als hätten sie soeben das größte Weihnachtsgeschenk bekommen. Die Frauen, denen wir begegnen, tragen fast alle ein Kleinkind am Rücken und auf dem Kopf ein Bündel Holz oder einen Wasserkanister. Ab und zu sind die Lasten auch auf Esel geladen. Die farbenfrohen Menschen erblickt man schon von weitem. Für unser Auge sieht es majestätisch aus, wie sie sich elegant durch die dürre heiße Steppe bewegen, und ihre roten, blauen und gelben Kangas vom ständigen Wind bewegt um ihre Körper flattern. Der farbige Schmuck trägt ein Übriges zu dem beeindruckenden Aussehen der Menschen bei.

Manchmal hüpfen Tic Tics, kleine rehähnliche Tiere, vorbei. In Hungerzeiten eine Delikatesse! Hier und da erblicken wir kleinere Zebraherden. Von größeren Tieren wie Giraffen oder Elefanten fehlt heute allerdings jede Spur. Lediglich große Kothaufen lassen erkennen, dass hier vor nicht allzu langer Zeit Elefantenherden durchgezogen sind. Zwischen den Schirmakazien stehen nicht selten bis zu zwei Meter hohe, verlassene, kunstvolle Termitenbauten. Der neue Priester aus Barsaloi erzählte uns, dass er die entstehende Kirche in Opiroi aus diesem steinharten Material bauen lasse. Es eigne sich hervorragend, sei strapazierfähig und koste nichts.

Wir sind nun schon etwa zwei Stunden unterwegs und sollten allmählich darauf achten, wann wir von der Piste in den Busch abzweigen müssen. Klaus war zwar schon einmal vor unserer gemeinsamen Reise am Filmset, kam aber aus einer anderen Richtung. Er hat gehört, dass ein neuer Zubringerweg zum Set angelegt worden ist. Fahrspuren sind zwar immer wieder zu erkennen, aber keine sehen wie die von schweren Lastern aus. Das Filmset befindet sich irgendwo in der Nähe von Wamba, das ich in der Ferne bereits erkenne. Nun kann es wirklich nicht mehr weit sein!

Je geringer die Entfernung zum Filmset wird, desto unruhiger und nervöser werde ich. War ich bis vor kurzem in Gedanken noch ausschließlich mit meiner afrikanischen Familie beschäftigt, wird dieses Gefühl nun mehr und mehr von einer neuen inneren Erregung überlagert. Vor allem bin ich gespannt auf die Begegnung mit Nina Hoss, der Schauspielerin, die mich darstellen soll. Ich hoffe inständig, dass sie und ich einander sympathisch sind. Für sie ist es wahrscheinlich auch nicht einfach, der Frau zu begegnen, deren Leben sie nun nachspielt. Und der Hauptdarsteller? Wird er Lketinga würdig vertreten, obwohl er kein Samburu und kein Massai ist? Natürlich habe ich meine Zweifel.

Auf der anderen Seite war mir immer klar, dass ein traditionell lebender Samburu diese Rolle nicht spielen kann. Wie sollte er ein Leben spielen, wenn er gar nicht weiß, was ein Film ist. Wenn er vielleicht noch nie mit einer weißen Frau gesprochen, geschweige denn körperlichen Kontakt hatte? Die traditionellen Samburu tauschen kaum Zärtlichkeiten aus und Küsse sind absolut tabu. Und nun sollte ein Krieger diese Rolle drei Monate lang spielen und einige Szenen bis zu zwanzig Mal wiederholen? Nein, das wäre wirklich nicht möglich gewesen! Nachdem die Filmemacher auch unter den »touristenerfahrenen« Samburu oder Massai von der Küste nicht fündig geworden sind, haben sie sich für einen weltoffenen, sympathischen Afrikaner entschieden, der nicht aus Ostafrika stammt. Und nun bin ich sehr neugierig, ob ich die Lobeshymnen der Filmverantwortlichen über ihn teilen kann. Ich hoffe es sehr.

Es ist schon ein merkwürdiges Gefühl, auf dem Weg zu einem Filmset zu sein, an dem gerade ein Teil des eigenen Lebens verfilmt wird. Meist gelingt es mir zwar gut, die Dinge auseinander zu halten und mir klar zu machen, dass dies nur ein Film und nicht meine reale Vergangenheit ist. Immer wieder aber gibt es Momente, in denen ich erwarte, dass alles exakt so sein sollte, wie ich es erlebt habe. Ich glaube, es wird nicht immer einfach sein und ich hoffe sehr, dass dieser Besuch bei den Dreharbeiten meine Ängste etwas mildern wird.

So sehr bin ich in meinen Gedanken versunken, dass ich die vergebliche Suche nach dem Zubringerweg gar nicht so recht mitbekomme. Ein paar Mal endet die vermeintlich richtige Piste im Nichts und wir müssen umkehren. Wir befinden uns mittlerweile kurz vor Wamba, als uns ein Jeep begegnet, der mit einem großen gelben Aufkleber »The White Massai« versehen ist. Klaus kennt die Insassen, denn sie gehören zum Filmteam, und lässt sich von ihnen den Weg beschreiben. Einige Kilometer weiter entdecken wir mitten in der Steppe ein Schild mit einem Pfeil und der Aufschrift »White Massai Location«. In meine bangen Erwartungen schleicht sich beim Lesen dieser Worte nun doch ein gewisses Gefühl des Stolzes ein.

Nach zweimaligem Durchqueren des mächtigen Wamba-Rivers, der glücklicherweise noch kein Wasser führt, befinden wir uns kurze Zeit später vor der Einfahrt des Camps. Das Areal ist umzäunt und wird von Wachmännern geschützt. Hinein kommt nur, wer eine Erlaubnis hat. Vor der Barriere stehen viele Frauen und Männer. Die meisten von ihnen tragen die traditionelle Samburu-Kleidung. Einige haben kleine Stände aufgebaut und bieten für die zahlreichen Mitarbeiter des Filmprojekts Souvenirartikel an. Nachdem die Autos ordentlich geparkt wurden, betrete ich nun – zum ersten Mal überhaupt – ein Filmset, und dabei geht es noch dazu um meine eigene Lebensgeschichte! Fast kann ich es nicht glauben!

Am Set

Als Erstes erblicke ich eine richtige Zeltstadt. Links und rechts eines lang gestreckten Areals stehen Hauszelte in Reih und Glied mit jeweils exakt gleichen Abständen dazwischen. Man erkennt sofort, dass hier deutsche Genauigkeit am Werk war. Jedes Zelt sieht wie ein Häuschen mit Vordach aus. Dahinter stehen in etwas größerem Abstand mit Plastikbahnen verkleidete, ungefähr mannshohe Gestelle, die sich als Duschen und Toiletten erweisen. Der erste Eindruck verschlägt mir die Sprache und ich kann nur staunen, welch ein enormer Aufwand notwendig ist, um mein damaliges Leben nachzuspielen, ein Leben, in dem ich nahezu nichts besaß außer einem »Kuhfladenhäuschen«.

Das Zeltdorf liegt wunderschön zwischen zwei Hügeln eingebettet. In der Ferne schimmern die Berge. Wir werden zum Informationszelt geleitet, das mit modernem Hightech ausgestattet ist. Auf Schreibtischen stehen Laptops und Computer, an denen gearbeitet wird. Überall sind Handys an Aufladegeräten angeschlossen und ich freue mich darauf, endlich wieder einmal mit meiner Tochter in Kontakt treten zu können. Sicherlich wartet sie schon ungeduldig und mit gemischten Gefühlen auf ein Lebenszeichen ihrer Mutter.

Den wenigen im Augenblick Anwesenden stellen wir uns vor. Da es Mittagszeit ist, sind die meisten beim Essen oder schon wieder am Dreh. Weil hier offensichtlich alles generalstabsmäßig organisiert ist, bekommt jeder von uns eines der hübschen Zelte zugeteilt, während die für uns zuständigen Personen über unsere Ankunft informiert werden. Bis zu deren Eintreffen wollen wir uns den Pistenstaub abduschen. Ich betrete das mir zugewiesene Zelt und bin begeistert. Da steht tatsächlich ein richtiges Bett, mit frischer Bettwäsche und weißen Frotteetüchern – unglaublich luxuriös nach den letzten Tagen. Ein Tischchen mit Stuhl und ein kleiner Schrank machen die Einrichtung komplett.

Vor dem Zelt taucht ein Afrikaner auf und fragt, ob ich warmes Wasser zum Duschen möchte. Bei etwa vierzig Grad Außentemperatur verzichte ich auf vorgewärmtes Wasser, lasse mir aber dennoch die Dusche erklären. Sie ist sehr originell: Man schlüpft in die schmale und hohe Plastikverkleidung hinter dem Zelt und steht unter einem Brausekopf, an dem eine Schnur befestigt ist. Wenn man daran zieht, funktioniert es wie bei einer Toilettenspülung. Das Wasser, warm oder kalt, je nachdem wie man es bestellt hat, wird vorher in einen Tank oberhalb der Konstruktion eingefüllt. In der anderen Hälfte der Plastikverkleidung befindet sich die Toilette. Sie funktioniert zwar nach dem Plumpsklo-System, da es keine Wasserspülung gibt, ist aber sehr hygienisch ausgestattet. Alles ist sehr einfach und praktisch.

Nach dem erfrischenden Wasserkontakt bin ich froh, wieder einmal Hosen anziehen zu können. Kaum bin ich fertig, ertönt erneut eine Stimme vor dem Zelt: »Madame, your lunch please.« Ich öffne den Reißverschluss und glaube zu träumen. Ein lächelnder Boy hält mir ein Tablett mit Silberhaube entgegen. Ich setze mich an mein Tischchen und staune über das, was ich unter der Haube vorfinde: eine Vorspeise, ein Hauptgericht, ein Dessert und verschiedene Früchte – alles wunderschön dekoriert. Natürlich genieße ich jeden einzelnen Bissen. Es ist erstaunlich, wie sehr sich die Einstellung zum Essen verändert, sobald man sich eine Zeit lang einschränken und auf einiges verzichten muss. Ich kenne dieses Phänomen allzu gut aus meinen Hungerzeiten in Barsaloi. Da hatte ich zwar Geld, aber keine Möglichkeit, auch nur die einfachsten Lebensmittel zu kaufen, weil die Flüsse für Wochen nicht mehr passierbar waren und es deshalb einfach nichts gab. Doch jetzt, in dieser Minute, komme ich mir vor wie auf einer Luxussafari.

Nach der köstlichen Mahlzeit treffe ich auf Albert, der bereits mit dem Produzenten Günter Rohrbach zusammensitzt. Wir begrüßen uns sehr herzlich und er befragt mich nach meinen ersten Eindrücken. Zunächst könne ich mich ja nur über den Mzungu-Teil äußern, da ich vom Drehort noch nicht viel mitbekommen habe, erkläre ich ihm lachend. Er ist sofort bereit, uns noch heute den Kral zu zeigen, und morgen werden wir das nachgebaute Barsaloi besichtigen. Nach wenigen Minuten Autofahrt erreichen wir den bereits vor einigen Monaten eigens für den Film erstellten Kral. In ihm leben seitdem traditionelle Samburu-Familien, die in dem Film mitwirken. Was ich hier sehe, beeindruckt mich stark. Alles ist haargenau nachgestellt. Die Manyattas sehen aus wie die von Mama in Barsaloi.

Da die Samburu hier tatsächlich leben, ist auch das Alltagsleben authentisch. Überall sitzen Mütter mit ihren Kleinkindern vor den Hütten. Die einen säubern die Kinder, andere waschen ihre Kangas. An der Dornenumzäunung hängen verschiedene Kleidungsstücke zum Trocknen. Das ist für mich im ersten Moment der einzige erkennbare Unterschied: Kinder und Erwachsene tragen sehr saubere Kleidung. Wahrscheinlich liegt der Grund darin, dass sie das Wasser, das täglich in großen Lastwagen für das Filmteam angefahren wird, mitbenutzen können.

Ansonsten sieht das Manyattadorf aus, als lebten diese Menschen schon seit Jahren hier. Jedes Detail stimmt. Ich bin unglaublich froh, dass nichts verfälscht wurde. Immer wieder kommen uns schön geschmückte Mädchen entgegen. Dabei fällt mir sofort auf, dass sie sich neuerdings zum Schmücken bunte Plastikblumen anstelle von Vogelfedern auf den Kopf stecken. Für mich sieht es komisch aus, für sie jedoch ist Plastik in dieser Form ein neues Material, das für die Mädchen und Krieger etwas Besonderes und Luxuriöses bedeutet.

Wir schlendern durch den Kral und werden von den Bewohnern interessiert oder leicht amüsiert beobachtet. Sie wissen nicht, dass ich diejenige bin, die einmal so mit ihrem Stamm lebte, und deshalb diese Geschichte hier nachinszeniert wird. Nach einer Weile stehen wir vor einer etwas größeren unbewohnten Hütte. Wie ich höre, wird sie für die Innenaufnahmen benutzt. Sie stellt meine ehemalige Manyatta dar. Natürlich muss ich sofort hineinschlüpfen und stelle fest, dass auch hier alles mit Sorgfalt und detailgetreu eingerichtet wurde. Nach diesen Eindrücken bin ich überzeugt und ein wenig auch mit Stolz erfüllt, dass mit diesem Film die einzigartige Kultur der Samburu, die es in dieser Form vielleicht nicht mehr allzu lange geben wird, gezeigt und festgehalten wird.

Zur Teezeit stehen wir schon wieder vor einem üppigen Angebot von Säften, Tee, Kaffee und verschiedenen Häppchen.

Wir sind es gar nicht mehr gewöhnt, alle Naselang etwas vorgesetzt zu bekommen, genießen es jedoch in vollen Zügen. Allmählich spricht es sich im Camp herum, dass die »echte« weiße Massai angekommen ist. Jemand begrüßt mich freudig mit den Worten: »Schön, dass ich Sie persönlich kennen lernen kann. Sie haben ein außergewöhnliches Leben geführt, ich bewundere Sie. Ohne ihren damaligen Mut wären wir heute alle nicht hier und wahrscheinlich nie in diese herrliche Gegend mit den wunderbaren Samburu gekommen. Vielen Dank dafür.« Ich bin gerührt und weiß natürlich nicht, was ich darauf antworten soll.

Jetzt wünsche ich mir, dass Lketinga diese Seite einmal erleben würde und sehen könnte, wie viele Menschen weltweit an unserer Geschichte Anteil nehmen und dabei auch für ihn und seine Familie positive Worte übermitteln. Zu Hause erlebe ich das täglich durch die vielen Zuschriften und E-Mails oder persönlich bei Lesungen und sogar im Alltag auf der Straße. Ihn hingegen erreichen in Barsaloi offensichtlich nur schlechte Nachrichten. Irgendwie bereue ich es ein wenig, dass er all das hier nicht sehen und hören kann. Ich werde ihm beim Fest alles erzählen und später Fotos schicken, beruhige ich mich.

Mit ein paar Filmleuten kann ich mich kurz unterhalten, sei es mit der Kostümbildnerin aus Südafrika, die trotz des aufregenden Abenteuers langsam Heimweh verspürt, oder mit dem freundlichen Maskenbildner aus Deutschland. Jemand zeigt mir die in einiger Entfernung stehende, nur für die Zeit der Dreharbeiten errichtete Handy-Antenne. Große Generatoren erzeugen den benötigten Strom. Unglaublich, welche Mengen an Arbeitsmaterial sie hierher in den Busch transportieren mussten! Es ist nur zu hoffen, dass der Regen die Crew nicht überrascht.

Während am Nachmittag das Leben im Camp unter der schwirrenden und flimmernden Gluthitze wie ausgestorben scheint, wird es nach Einbruch der Dunkelheit lebendig. Aus allen Richtungen strömen Menschen nach getaner Arbeit in die umstehenden Zelte. Der Weg dorthin ist mit Petroleumlampen ausgeleuchtet. Auf offenen Feuerstellen wird das Duschwasser in großen Fässern erwärmt und im Inneren der Hauszelte wird geschäftig hantiert. Die meisten waren heute zum Drehen im nachgebauten Barsaloi. Ich kann es kaum erwarten, morgen den Drehort zu besichtigen.

Albert, Klaus und ich sitzen mit dem Produzenten bereits im Dinnerzelt und beobachten, wie das Essen für weit über hundert Personen angerichtet wird. Mehrere kenianische Hilfskräfte arbeiten unter der Regie von Rolf Schmid, einem Deutschen, der seit vielen Jahren in Kenia lebt und Gastronomie betreibt. Was den Catering-Service für in Kenia arbeitende Filmteams betrifft, ist er ein erfahrener Profi. Er hat bereits bei vielen Filmen für das leibliche Wohl der Mitarbeiter gesorgt, unter anderem bei »Jenseits von Afrika« mit Robert Redford und Meryl Streep sowie bei Caroline Links Film »Nirgendwo in Afrika«. Nach Aussage vieler Fachleute ist er der wohl beste »Caterer« in ganz Kenia. Wenn ich mir vorstelle, dass alles, was hier aufgetischt wird, in großen Lastwagen aus Nairobi angefahren werden muss, erfüllt mich die logistische Leistung eines solchen Unternehmens mit Bewunderung und großem Respekt.

Allmählich füllt sich das Zelt. Als Hermine, die Regisseurin, erscheint, freue ich mich sehr, sie begrüßen zu können. Schon bei unserer ersten Begegnung war sie mir sehr sympathisch und ich fühlte meine Geschichte bei ihr gut aufgehoben. Auch freue ich mich, dass eine Frau die Regie führt. Endlich taucht auch Nina auf. Sofort sehe ich, dass sie meiner Rolle zumindest äußerlich voll entspricht. Groß, schlank, blond – so ähnlich sah ich vor achtzehn Jahren tatsächlich aus. Auch mit ihrer Ausstrahlung kann ich mich identifizieren, was mich sehr erleichtert. Neugierig begrüßen wir uns und sitzen während des Essens nebeneinander. Aufgrund der doch recht außergewöhnlichen Situation fühle ich mich leicht gehemmt und denke, dass es ihr nicht viel anders ergeht. Schräg gegenüber gesellt sich der italienische Schauspieler, der im Film Pater Giuliani spielt, an unseren Tisch. Er gefällt mir, auch wenn er dem »Original« nur wenig ähnlich sieht. Allerdings kann ich mir gut vorstellen, dass er wie Giuliani sehr energisch reagieren kann.

Dann erscheint Jacky Ido, mit Filmnamen Lemalian, der Lketinga spielt. Hier beim Abendessen ist er normal gekleidet und sein Äußeres erscheint mir weit entfernt vom Aussehen eines Samburu. Ich bemühe mich, meine erste Irritation nicht zu zeigen. Als ich ihn begrüße, erkenne ich zumindest um die Augenpartie eine gewisse Ähnlichkeit mit meinem Ex-Mann und seinem damaligen Aussehen. Schon beim ersten Wortwechsel spüre ich seine angenehme, sympathische und herzliche Ausstrahlung. Auch die Körpergröße stimmt annähernd. Ich bin gespannt, wie er morgen nach der Maske aussieht. Er erzählt mir, dass er für die Verwandlung in einen traditionellen Samburu jeden Tag zwei Stunden benötigt. Da er nichts dagegen hat, möchte ich mir morgen dieses Kunststück nicht entgehen lassen und dabei zuschauen.

Ich lausche den verschiedenen Gesprächen und merke, dass alle sehr müde und erschöpft sind. Die Drehtage sind lang und die Hitze tut ihr Übriges. Doch das Essen entschädigt für vieles. Das Dessertbuffet kann locker mit einem Vier-Sterne-Hotel konkurrieren, obwohl es draußen im Busch unter dem Sternenhimmel steht.

So sehr ich diesen Luxus heute auch genieße – damals, als ich hier im Busch lebte, brauchte ich nichts davon. Dafür machte mich die Liebe zu Lketinga enorm stark und überlebensfähig. Denn ich lebte und spürte sie und konnte dadurch sprichwörtlich Berge versetzen. Hier dagegen sitzen Menschen um mich herum, die lediglich für drei Monate unter erschwerten Bedingungen arbeiten. Wahrscheinlich verblasst für sie die Schönheit und Romantik dieser Gegend allmählich, da sie weit weg von ihren Lieben und ihrem Zuhause sind. Ich kann es gut nachvollziehen, würde gerne noch vieles fragen, spüre aber, dass der Zeitpunkt für derartige Gespräche nicht geeignet ist.

Der Produzent hält eine kleine Rede, stellt mich dabei vor und so weiß nun jeder hier, wer ich bin. Schon bald nach dem Essen ziehen sich die Hauptdarsteller zurück. Nina möchte noch ihren morgigen Text einstudieren und Jacky muss wegen der zweistündigen Vorbereitung in der Maske sehr früh aufstehen. Auch wir trinken das letzte Glas Wein und verlassen das Essenszelt.

Etwas abseits brennt ein Lagerfeuer und einige Stühle stehen im Halbkreis herum. Ich setze mich und genieße den Blick ins knisternde Feuer. Nach einer Weile gesellen sich eine Samburu-Mutter und ein etwa achtjähriges, quirliges Mädchen dazu. Die Frau begrüßt mich und beginnt sofort, in Maa etwas zu erzählen. Ich strenge mich an, aus den wenigen Brocken, die ich verstehe, den Inhalt zu erahnen. Plötzlich bin ich hellwach, denn sie versucht mir gerade klar zu machen, dass sie mich von früher kennt. Sie sei zur selben Zeit im Wamba-Spital gewesen, als ich meine Tochter zur Welt brachte. Sie habe damals ihr letztes, das heißt ihr vierzehntes Kind geboren. Ich kann es kaum glauben, was ich mir aus dem Wortschwall zusammenreime. Als sie mir weiterberichtet, dass sie hier die Film-Mama sei, bin ich völlig aus dem Häuschen. Jetzt muss ein Übersetzer her! Ich möchte genau wissen, was sie sagt.

Schnell ist jemand gefunden, der ihre Sprache sowie Englisch spricht. Offensichtlich habe ich alles richtig interpretiert. Es ist unglaublich: Nach vielen Probeaufnahmen mit verschiedenen Samburu-Frauen spielt schließlich eine Frau meine Schwiegermama, die mich bereits aus früheren Zeiten kennt und darüber hinaus zum selben Zeitpunkt in Wamba einem Kind das Leben schenkte wie ich. Diese Neuigkeit kann mich nur glücklich machen und ich habe das Gefühl, dass das kein Zufall sein kann.

Das lustige Mädchen spielt Saguna und heißt im Film Christine. Sie ist lebendig wie ein Gummiball und sucht nach

Geborgenheit, das spürt man sofort. Später erzählt man mir, dass sie von ihrer Tante aufgezogen wird, weil ihre Eltern sie entweder weggegeben haben oder gestorben sind. Da die Samburu über Verstorbene äußerst ungern reden, ist es schwer, etwas Genaueres zu erfahren.

Ich beobachte die Film-Mama noch eine ganze Weile und finde sie sehr sympathisch. Allerdings erscheint sie mir im Vergleich zu meiner Schwiegermama etwas jung und dadurch fehlt ihr Mamas mystische Ausstrahlung. Aber hier am Lagerfeuer, mit der eben gehörten Geschichte, fühle ich mich ihr eng verbunden. Sie erwähnt, dass sie einige meiner Familienmitglieder aus Barsaloi kenne. Ich freue mich und bin wirklich gespannt, wie sie die Rolle der Schwiegermama meistert. Für mich spielte Mama natürlich eine Hauptrolle. Sie bewahrte mich vor viel Leid und gab mir innerlich enorm viel Kraft. Wenn das im Spielfilm gezeigt werden könnte, wäre ich mehr als glücklich.

In der Zwischenzeit sind alle Stühle am Feuer belegt und es wird, wie unter Afrikanern üblich, palavert und palavert. Sie haben sich immer irgendwelche Geschichten zu erzählen und dabei geht es meistens fröhlich zu. Die Film-Mama steht auf, weil sie sich zurückziehen möchte. Morgen ist wieder ein langer Drehtag. Auch ich verlasse den Lagerplatz und nach einigen Verabschiedungen da und dort begebe ich mich in mein Zelt.

Lemalian alias Lketinga

Frühmorgens werde ich von lautem Vogelgezwitscher geweckt. Ich trete vor das Zelt und erlebe gerade noch den Sonnenaufgang. Einige Meter vor mir steht eine Schirmakazie, an deren äußersten Ästen Vogelnester hängen. Sie sind als runde Kugeln am Ast befestigt und ein kleiner enger Röhrengang führt von unten hinauf. Es sieht lustig aus, wie die Vögel von unten in ihre Nester schlüpfen. An dem Baum hängen sicher drei Dutzend solcher Behausungen und ihre Bewohner fliegen zwitschernd hin und her.

Nach der Morgentoilette schlendere ich zu dem Wagen, in dem sich der Maskenbildner eingerichtet hat, da ich Jacky bei seiner Verwandlung in Lketinga, beziehungsweise Lemalian, auf keinen Fall verpassen möchte. Er sitzt bereits auf seinem Stuhl und begrüßt mich mit einem strahlenden Lachen.

Jacky sei immer guter Laune, obwohl er morgens der Erste und abends der Letzte sei, erzählt mir der Maskenbildner. An der Wand hängt die Perücke mit den langen roten Massai-Zöpfen. Sie sieht erstaunlich echt aus. Ich schaue zu, wie die Verwandlung beginnt.

Zuerst werden Jacky in mühseliger Kleinarbeit die großen Ohrlöcher an seine natürlichen Ohren modelliert, damit die Elfenbeinringe eingesetzt werden können. Irgendwie sieht das braune weiche Teil für meine ungeübten Augen etwas makaber aus, täuschend echt wie ein Stück Menschenohr. Ich bin so fasziniert, dass mir der Maskenbildner das Ohrteil vom Vortag zur Erinnerung schenkt. Mein erster Gedanke ist: Das werde ich Lketinga zeigen. Doch ich verabschiede mich gleich von diesem Vorhaben, da es womöglich wieder viele Diskussionen hervorruft. Wenn es für mich schon täuschend echt aussieht, wie soll ich dann ihm erklären, dass es Materialien gibt, mit denen man alles nachmodellieren kann, und dass es dafür sogar einen eigenen Beruf gibt?

Mit feiner Genauigkeit werden diese Teile mit den echten Ohren verbunden und anschließend nach hinten geklebt. Tag für Tag dieselbe Prozedur! Danach wird die schwere Perücke am Kopf befestigt. Je mehr Jackys Aussehen sich dem eines Samburu nähert, desto besser gefällt er mir. Da jedoch das Ganze schon über eine Stunde dauert, eile ich kurz zum Frühstücksplatz, damit ich noch etwas abbekomme. Als ich eine halbe Stunde später zur Maske zurückkehre, ist Jacky fast

Begegnung mit einer Samburufrau am Fluss

Das neue Haus von James

Frühmorgens im Kral

Mit Lketingas Schwester beim Ziegenmelken

Die Herde sucht im Flussbett Schutz vor der Mittagshitze

Unser ehemaliger Shop in Barsaloi

Constantin Film Produktion GmbH

Pontact Productions EPZ Ltd.
P.O. Box 64918 – 00620 Nairobi

Producer:
Line Producer:
CFP Prod. Executive
UPM:
Prod. Service:
Director
DOP
Prod. Design

Constantin Film

„THE WHITE MAASAI“

CALL SHEET for Friday, 24.09.2004 • Shooting Day: 22 of 46

Sunrise: 05:21 h
Sunset: 18:24 h

Flying Doctors Emergency:
020 - 31 54 54 / 0722 - 31 42 30

Weatherforcast: Sunny all day with temperatures up to 33°C.
Kenya Meteorological Department, Tel.: 020 – 5676 605

Kenya Filmstudios
020 - 57 35 71 / 0722 - 829 585

UNIT CALL ON SET / BASE:
(DEPARTURES AS PER TRANSPORT PAGE)

SET / LOCATION:
„Barracks Shop“ / „Mission“
„Asmas Barrack“
Ngelai / Kitich Valley
Ngelai Film Committee &
Samburu County Council
P.O. Box 3 Maralal, Tel.: 065 – 62 021

Unit Base: Ngelai Base Camp

Set Mngr.	05:30 / 06:30	h
Director	06:45	h
DoP	06:45	h
Camera-Ass	07:15	h
Sparks	07:15	h
Grip	07:15	h
Sound	07:15	h
Props	o/c	h
Make up	05:40 / 06:00	h
Wardrobe	06:00	h

SET PHONE: 0723 - 92 1941 (Christian Nachbar)
OFFICE PHONE ON LOCATION: 0723 – 92 95 02
SAT - PHONE: 0088 - 216 511 295 18 (only in case of emergency!)
UNIT NURSE/Rose Sajabi: 0722 – 259 866

BREAKFAST AT UNIT BASE	05:45-08:00
REHEARSAL	05:45-07:30
START SHOOTING:	08:00
LUNCH (30 min):	12:00
EST. WRAP:	18:00

PEOPLE ON SET: Crew: approx. 95 / Cast: 8 / Security: Total 25 / Extras: 5

SC.	PAGES	ST	CAST	SMALL PARTS/ EXTRAS	SET / DESCRIPTION	SPECIALS
# 129 int/day	1 2/8 (1'10)	28	1. Carola 7. John 13. Mini-Chief	3 customers from village	Barracks Shop Carola discovers that Lemalian has secretly given credit.	Props: note book, receipt book, secret credit book Make up/Costume: Carola 6 month pregnant
# 130 int/day	1 5/8 (1'15)	28	1. Carola 2. Lemalian		Barracks Shop No more credit!	Props: note book, secret credit book
# 139	5/8 (0'45)	29	2. Lemalian 6. Asma 7. John 10. Mama 11. Saguna 12. Peter	1 gardener 1 gardener boy	Mission Waiting for the releasing radio message	Props: wireless radio Vehicles: Landrover

Der Tagesdrehplan am Filmset

Im originalgetreu nachgebauten Samburudorf

Zum ersten Mal treffe ich Nina Hoss, die Hauptdarstellerin

Jacky Ido, der im Film Lketinga spielt

Pater Giulianis neue Kirche in Sererit

Mit Pater Giuliani und Klaus auf dem Missionsgelände

Sonntäglicher Gottesdienst in Sererit

Inmitten aufmerksamer Zuhörer

Unterwegs besuchen wir alte Bekannte

Mama Natascha mit ihrem jüngsten Kind

Lketinga präsentiert seine neue Decke

Am Morgen vor Lketingas Manyatta

Mit Lketingas Schwester und Mama vor ihrer Hütte

Großer Andrang beim Abschiedsessen

Familienfoto mit dem Verleger

Erinnerungsfoto mit meiner afrikanischen Familie

Sie haben mich wieder in ihrer Mitte aufgenommen

Mit James, Stefania und little Albert

Glückliche Verbundenheit mit Mama

Abschied von Mama und Lketinga

Das Hospital von Wamba, wo ich meine Tochter zur Welt brachte

Vor dem Zimmer, in dem ich damals lag

In Nairobi bei den Flying Doctors

Die Likoni-Fähre in Mombasa, auf der alles begann

fertig hergerichtet. Ein traditioneller Samburu hilft ihm, den Schmuck überzustreifen, und achtet darauf, dass alles genau der Tradition entspricht.

Ja, jetzt gleicht Lemalian Lketinga weit mehr als dem Jacky von gestern Abend. Mit seinem nackten glänzenden Oberkörper, verziert mit Samburu-Schmuck, sieht er wunderschön und faszinierend aus. Seine sanften Augen und das herzliche Lachen verstärken die positive Ausstrahlung. Nun bin ich überzeugt, dass er beim Publikum ankommen wird und meine anfängliche Skepsis ist endgültig verschwunden. Vielleicht ist es für mich sogar besser, wenn er nicht genau wie Lketinga aussieht. So wird es mir leichter fallen, den Film von der Realität zu trennen.

Die Zeit drängt und wir machen noch ein paar gemeinsame Fotos, bevor Jacky zum heutigen Drehort im Shop gefahren wird. Dort wird eine Szene gedreht, in der Carola – so mein Filmname – bereits im sechsten Monat schwanger ist. Ich bin gespannt, wie Nina mit »Babybauch« aussehen wird, aber auch, wie die Filmleute unseren ehemaligen Shop, das Dorf Barsaloi und die Mission nachgebaut haben. Direkt beim Drehen wollen sie allerdings ungestört bleiben. Auch wenn ich noch so neugierig bin, kann ich das natürlich gut verstehen.

Das nachgebaute Barsaloi

Bald machen auch wir uns auf den Weg zum Filmdorf. Wir fahren um einen Hügel herum und was ich dann sehe, verschlägt mir den Atem. Das komplette Dorf wurde nahezu naturgetreu nachgebaut. Einige Holzhütten stehen links und rechts der Straße und sehen mit ihren rostigen Dächern und den Wänden, an denen die Farbe abblättert, aus, als hätten sie hier bereits mehr als ein Jahrzehnt gestanden. Das Dörfchen liegt auf einer Anhöhe und die Aussicht über die Steppe ist grandios. Die nachgebaute Mission liegt etwas abseits an einem Hang.

Da auf der anderen Seite im Shop die Dreharbeiten laufen, besichtigen wir zunächst die Mission. Schon von außen hat sie eine gewisse Ähnlichkeit mit der von Barsaloi, vor allem wegen des angelegten Gemüsegartens. Pater Giuliani liebte seinen Garten, den er täglich mit List und Phantasie gegen fremde Ziegen verteidigen musste. Auch hier ist mit viel Liebe Gemüse und Mais angepflanzt worden, um diesem Detail gerecht zu werden. Die Inneneinrichtung ist eher im Kolonialstil gehalten. Der den Raum dominierende Kamin sieht aus, als wäre er schon unzählige Male benutzt worden. Ein paar alte Stühle um einen großen antiken Tisch, Bücher in Regalen und Heiligenbilder an den Wänden ergeben einen harmonischen Missionsraum. Vor dem Gebäude befindet sich die Kirche. Von hier hat man einen herrlichen Blick über das Dorf. Heute Nachmittag soll hier gedreht werden, erfahre ich vom Produzenten, der sichtlich stolz auf das Gezeigte ist.

Überall stehen Leute herum. Immer wenn gedreht wird, auch wenn der Drehort 300 Meter entfernt ist, wird durch ein Megaphon dringend um Ruhe gebeten. Deshalb sind sinnvolle Gespräche kaum möglich. Drüben im Dorf vor dem Shop herrscht große Hektik. Plötzlich ruft uns jemand, dass wir ins Dorf kommen können, weil eine Drehpause angesagt ist. Vor den einzelnen Häusern sitzen ein paar einheimische Statisten am Boden.

Was sie wohl über uns Weiße denken? Da fahren eines Tages Mzungus mit Lastwagen vor und bauen mitten in der Steppe in wenigen Wochen ein ganzes Dorf und sogar eine Mission auf. Anschließend sorgen sie mit seltsamen Maßnahmen dafür, dass alles möglichst alt aussieht. Später beobachte ich, wie einheimische Frauen und Krieger für eine Szene sicher zehn Mal von einem Ende der Straße zum anderen laufen, immer und immer wieder dasselbe Bild. Ja, ihre Gedanken würde ich allzu gerne lesen können. Sicher werden sie noch nach

Jahren von diesen Dreharbeiten erzählen. Auch die kommende Generation wird diese Geschichte höchstwahrscheinlich in den verschiedensten Versionen zu hören bekommen.

Wir haben den Shop fast erreicht, als Lemalian und Carola herauskommen. Beide sehen toll aus. Nina als Carola trägt die Haare hinten zusammengebunden, genauso wie ich sie damals hatte. Mit dem schwangeren Bauch, dem hellen Blümchenkleid und dem schlichten Massai-Schmuck sieht sie der damaligen Corinne sehr ähnlich, was ich ihr bei der Begrüßung aus tiefster Überzeugung mitteile. Nachdem von uns beiden einige Fotos gemacht wurden, muss sie nach wenigen Minuten wieder an die Arbeit. Kurz vorher erhalte ich noch die Gelegenheit, mich im nachgestellten Shop umzusehen. Alles ist täuschend echt eingerichtet, sogar die alte Waage mit den Gewichtssteinen ist da. Als ich diese nach all den Jahren wiedersehe, erinnere ich mich an die Knochenarbeit, täglich Hunderte von Kilogramm Maismehl, Zucker oder Reis abzuschöpfen. Abends konnte ich mich vor Rückenschmerzen oft kaum mehr bewegen. Der Lohn aber waren die zufriedenen Gesichter der Menschen, weil sie Lebensmittel einkaufen konnten. Meine Erinnerungen werden durch die wieder aufgenommenen Dreharbeiten unterbrochen.

Draußen begebe ich mich mit Klaus auf die Suche nach Foto-Motiven. Eines finde ich besonders reizvoll. Da sitzen zwei sehr alte, traditionell gekleidete Männer. Einer von ihnen trägt einen äußerst originellen »Schmuck«: eine Brille mit Gläsern, die halb so groß wie sein Gesicht sind, und auf dem Kopf trägt er einen lustigen Schlapphut mit Tigermotiv. Ich geselle mich zu ihnen und wir machen ein gemeinsames Foto. Das Gesicht mit Brille lacht mich stolz und fröhlich an. Alte Menschen finde ich immer wieder faszinierend, denn in ihren Gesichtern steht ihr Leben geschrieben.

Wir setzen uns abseits in den Schatten und beobachten noch einige Stunden den Drehort, doch es wiederholt sich immer das Gleiche: sprechen, schweigen, warten, sprechen, schweigen, warten. Nach dem ersten Staunen tritt eine gewisse Eintönigkeit ein, weil man nicht direkt am Geschehen beteiligt ist und davon auch nicht viel mitbekommt. So bin ich froh, dass ich am Nachmittag, als in der Mission gedreht wird, doch noch eingeladen werde, einige Minuten beim Dreh zuzuschauen. Die Regisseurin fordert mich auf, neben der Kamera auf einem Stuhl Platz zu nehmen. Ich habe keine Ahnung, was gedreht werden soll, und warte voller Neugier. Plötzlich springt Lemalian die Stufen zur Mission hoch und der Pater eilt auf ihn zu. Offensichtlich erzählt Lemalian gerade, dass es Carola und dem Baby im Spital gut geht.

Beim Anblick dieser Szene überkommt mich mit aller Macht das heulende Elend. Ich habe das überhaupt nicht erwartet, da ich mich gelassen und ausgeglichen fühlte. Aber in dem Moment, als Lemalian spricht, sehe ich nicht ihn, sondern Lketinga und meine persönliche damalige Situation. Ich bin so durcheinander und aufgewühlt, dass ich den Drehort weinend verlassen muss. Dabei schäme ich mich natürlich vor der ganzen Mannschaft. Eine winzig kleine Episode genügt schon, dass ich die Kontrolle über meine Gefühle verliere. Oh Gott, was kommt da noch auf mich zu, wenn ich erst Carola erleben werde? Eines ist mir jetzt schon klar: Tränen werden fließen.

Zum Glück ist gerade Kaffeepause, so dass draußen kaum jemand meine Betroffenheit mitbekommt. Ich setze meine Sonnenbrille auf und nehme mir einen heißen Tee. Da meine Hände noch zittern, übergieße ich mir zu allem Überfluss die Hand. Der Schmerz lenkt mich zumindest etwas ab.

Nach diesem Erlebnis habe ich plötzlich genug vom Dreh und fühle mich irgendwie fehl am Platz. Ich habe nun alles gesehen, die meisten Schauspieler und Schauspielerinnen kennen gelernt und den Ort als wirklich gelungen empfunden. Da ich zum weiteren Gelingen des Films nichts beitragen kann, ist schnell klar, dass ein längerer Aufenthalt hier am Set keinen Sinn hat. Offensichtlich haben die bewegenden Ereignisse der letzten Tage meinen Gefühlshaushalt etwas durcheinander gebracht. Da kommt die geplante Reise zu Pater Giuliani gerade recht. Seine Gegenwart vermittelte mir schon damals immer eine gewisse Sicherheit. Bei ihm kann ich mich bestimmt emotional etwas erholen, bevor ich in Barsaloi mit dem schmerzlichen Abschied von meiner Familie konfrontiert werde.

Den Rest des Nachmittags unterhalten wir uns in entspannter Atmosphäre mit dem Produzenten und seiner Frau. Beim reichhaltigen Abendessen bedanke ich mich bei allen für ihre Mühen und vor allem für die Möglichkeit, hinter die Kulissen »meines« Filmes schauen zu können und drücke mein Vertrauen und meine Überzeugung aus, dass dieser Film viele Menschen berühren wird.

Pater Giuliani

Nach dem Frühstück verlassen wir den Drehort und fahren den dreistündigen Weg zurück nach Barsaloi, wo wir mit Pater Giuliani um zwölf Uhr verabredet sind. Pünktlich fahren wir bei der Mission vor, wo Pater Giuliani bereits auf uns wartet. Er hat sich kaum verändert. Nur seine weißen Haare und etwas mehr Falten im braun gebrannten Gesicht lassen die vergangenen Jahre erkennen. Wie früher besteht seine Kleidung aus kurzen Hosen, Poloshirt und Strandsandalen. Mit einem breiten Lächeln kommt er auf uns zu, um uns zu begrüßen. Belustigt betrachtet er mich von oben bis unten an und meint: »Was, das soll die Corinne sein, die damals an die Missionstür klopfte?« Ich muss lachen. Er erlebte mich natürlich in meinen magersten Jahren. Heute lebe ich gesund und fühle mich zwar nicht dick, bin aber auch nicht mehr dünn wie eine Bohnenstange. Auch Albert und Klaus werden herzlich begrüßt, wobei man Pater Giuliani die Freude über einen abwechslungsreichen Besuch anmerkt.

Dann mustert er unsere großen Geländewagen und meint, wir sollten doch nur mit einem fahren. Da die Fahrer aber ihre Wagen nicht aus den Augen lassen, würde das bedeuten, dass einer allein hier bleiben müsste, was wir natürlich nicht wollen. Wir ahnen ja noch nicht, wie beengt es bei Giuliani zugeht. Er erwähnt lediglich, dass seine neue Mission nicht so groß sei wie diese hier. Als ich ihm mitteile, dass ich vor allem seinen schönen Garten mit den Bananenstauden vermisse, erklärt er lakonisch: »Diese neuen Priester haben kein Interesse mehr an Garten und Gemüse. Außerdem können sie selbst keine Autos reparieren, was in dieser Gegend dringend nötig wäre. Na ja, dafür gibt es jetzt ein Schwesternhaus!«

Ich fahre bei Giuliani mit, damit wir uns unterhalten können, muss allerdings feststellen, dass es bei dem Lärm und Gerumpel nicht einfach ist, sich zu verständigen. Im trockenen Bett des Barsaloi-River fahren wir Kilometer um Kilometer den Bergen entgegen. Schon nach einer halben Stunde Autofahrt ist mir die Gegend fremd und neu. Mit Lketinga war ich nie so weit in dieser Richtung unterwegs gewesen. Das Flussbett wird an manchen Stellen bis zu 300 Meter breit und man kann erahnen, wie gefährlich es hier wird, wenn es in den Bergen regnet.

Wir durchfahren verschiedenen Vegetationszonen. Einmal ist die Landschaft eher grün und mit so genannten Daumpalmen und Büschen bewachsen, die ich noch nie gesehen habe. Ein anderes Mal sind an den Ufern steinige dunkle Felshügel zu sehen. Pater Giuliani erzählt, dass man hier Gold vermutet und schon von Bohrungen gesprochen wurde, was eine Katastrophe für diese Gegend wäre.

Er fährt wie früher – zackig und schnell. Ständig schaut er, der 64-Jährige, in den Rückspiegel und lästert: »Wo bleiben denn die jungen Fahrer mit ihren Superwagen?« Am linken Flussufer sitzt im Schatten eine Gruppe Samburu-Frauen mit vielen Kindern. Sie kochen in einem großen Topf Maisbrei, um ihre Kleinen satt zu kriegen. Giuliani erklärt, dass hier die wenigsten Frauen noch Ehemänner haben, die sie unterstützen. Die meisten seien in die größer werdenden Dörfer oder Städte gezogen und nicht wenige seien dem Alkohol verfallen. Der Pater steigt aus, spricht mit ihnen und drückt das eine oder andere Kind. In unseren europäischen Augen sieht das Bild, wie sie da malerisch im Schatten eines Baumes lagern, bunt und friedlich aus. Aber diese Mütter kämpfen täglich hart ums Überleben, um ihr eigenes und das ihrer zahlreichen Kinder.

Als wir weiterfahren, verändert sich der Untergrund im Flussbett von lockerem, gelbem Sand in ausgetrocknete, aufgeplatzte rote Schlammerde. Es erinnert mich an Tonscherben, die sich durch Hitze nach oben biegen. Diese eindrucksvollen Formen möchte ich gerne fotografieren. Als ich aussteige, stehe ich buchstäblich in einem Glutofen. Ohne Schuhe könnten wir es keine Sekunde auf diesem Boden aushalten. Dennoch sehen wir immer wieder Menschen und Tiere, die in dieser lebensfeindlichen Gegend ihr Dasein führen. Pater Giuliani winkt jedem Kind, jedem Mann und jeder Frau zu und ruft ab und an etwas gegen den Fahrtwind. Man spürt, wie vertraut ihm diese Gegend ist und wie er sie liebt.

Nach gut zwei Stunden verlassen wir das Flussbett und biegen in einen für Unkundige kaum zu erkennenden Naturweg ein. Dieser führt auf eine Anhöhe, die einen grandiosen Blick über die weite Ebene eröffnet. Giuliani hält an, steigt aus dem Wagen und zeigt uns einen Busch, von dem er kleine Weihrauchkugeln abzupft. Dann deutet er auf einen weißen Strich in der Ferne, der senkrecht wie ein Wasserfall über den Berg fällt. »Dort steht meine Mission. Vor ein paar Monaten ist nachts mit mächtigem Donner hinter meinem Haus ein Teil dieses Berges abgebrochen. Seitdem sieht man Sererit schon von weitem. Bei deinem nächsten Besuch musst du nur in diese Richtung fahren«, scherzt er lachend.

Auf holprigen Wegen nähern wir uns langsam diesen Bergen. Auf dem Kamm ist deutlich dichter Dschungel erkennbar. Giuliani erzählt, dass dort noch riesige Büffel- und Elefantenherden leben und für Menschen kaum ein Durchkommen möglich sei. Die Samburu führten ihre Herden bis an den Rand des Dickichts, weil dort das Gras besonders fett sei.

Völlig unerwartet taucht am Wegesrand ein längliches Gebäude auf. Das sei die neue Schule, erklärt Giuliani stolz. Leider sei es schwierig, sie ausreichend mit Lehrern zu besetzen, da die meisten nach ein paar Monaten einfach nicht mehr zur Arbeit kämen. Bis aber jemand, der hier aufgewachsen ist, als Lehrkraft eingesetzt werden könne, werde es noch eine Weile dauern. Wir rumpeln über die Piste und umfahren größere Steine und Buschwerk. Nebenbei erwähnt Giuliani, dass er diesen Fahrweg selbst ausgebaut habe, früher sei hier nichts außer Geröll und Busch gewesen. Es ist mir ein Rätsel, wie Giuliani es schafft, hier zu leben.

Die Mission in Sererit

Langsam schleichen die Wagen einen kurvenreichen Pfad bergauf, bis wir nach einer letzten Kurve vor seiner Mission stehen. Nach Mission sieht es hier allerdings nicht aus. Ich habe eher den Eindruck, dass wir uns zwischen einer Ansammlung von überdimensionierten Konservendosen befinden. Alles außer der »Kirche«, die die kleine aus ein paar Hütten bestehende Ansiedlung dominiert, ist hier aus Wellblech erstellt. Sogar sein Motorrad, das er früher schon besaß, steht unter einer Wellblechhaube. Unsere Wagen sind fast so hoch wie diese Hüttchen. Jetzt verstehe ich, warum wir nur mit einem Fahrzeug hierher kommen sollten. Es gibt einfach keinen Platz dafür. Doch Giuliani wäre nicht Giuliani, wenn er dieses Problem nicht schnell lösen könnte. Einer der Wagen muss über seiner »Werkstattgrube« parken. Sie besteht aus einem ausgehobenen Graben, neben dem er auf beiden Seiten kleine Rampen aus Beton errichtet hat. Der zweite Wagen parkt schräg am Hang. Unsere Dachzelte sind also nicht benutzbar.

Wir schauen uns die Mission an, und nicht nur wir drei europäischen Besucher, sondern auch unsere afrikanischen Fahrer fragen sich staunend, wie man hier leben kann. Der Pater, darauf angesprochen, erwidert lachend: »Ich gehe dahin, wo Samburu leben und wo es Wasser gibt. Das sind meine Auswahlkriterien, mehr brauche ich nicht. Von allen Plätzen, die ich in all den Jahren hier in Kenia kennen gelernt habe, ist das der schönste Flecken mit dem besten Wasser.« Ein stolzes Strahlen unterstreicht seine Worte.

Nun beginnt das Entladen seines Wagens. Als zwei riesige Fässer gefüllt mit Diesel unter der Wagenplane auftauchen, frage ich mich, wie er die wohl von der Ladefläche bringen wird. Doch auch das ist für ihn kein Problem, da er speziell dafür eine Hebevorrichtung gebastelt hat und ihm einige Samburu helfen. Anschließend werden noch zahlreiche Schachteln Fett für die Bevölkerung aus der Umgebung in einer Art Schuppen verstaut. Ich schaue dem Spektakel zu und stelle fest: »Das ist wohl Ihre Vorratskammer?« Giuliani lacht und erwidert: »Nein, Corinne, das ist mein Haus. Hier wohne ich und auf diesem Tisch schlafe ich. Abends werfe ich eine Matratze darauf und so liege ich bequem.« Offensichtlich sieht er mir mein Staunen an und beteuert heiter: »Mehr brauche ich nicht.« Während er erzählt, gesellt sich ein zweiter italienischer Pater zu uns. Der 77-Jährige lebt hier mit Giuliani und macht einen ausgesprochen rüstigen Eindruck.

Später besichtigen wir den Mittelpunkt der Mission – die originellste »Kirche«, die ich je gesehen habe. Sie gleicht einer überdimensionalen Manyatta. Das Dach und die Seitenwände des runden Gebäudes sind mit blauen, gelben und grünen Plastikbahnen abgedeckt, zwischen denen einige Strohgeflechte hervorschauen. Die Fronttore bestehen aus Wellblech, die man mit Stützposten nach oben öffnen kann. Im Inneren des runden Zeltes befinden sich etwa vierzig Zentimeter über dem

Boden auf Holzpflöcke genagelte Bretter, die als Sitzbänke dienen. Sichtlich stolz auf seinen Bau kündigt Giuliani an, dass wir morgen eine volle Kirche erleben werden.

Nun werden die Schlafplätze verteilt. Ich bekomme ein kleines Wellblechhäuschen für mich allein und Albert und Klaus müssen sich ein anderes teilen. Die Fahrer können ihr Zelt hier in dieser Schräglage leider nicht benützen. Selbst dafür hat Giuliani eine Lösung. Er bietet ihnen an, unter der Plane auf der Ladefläche seines großen Unimogs zu schlafen. Für eine Nacht dürfte das kein Problem sein.

Kaum haben wir unsere Sachen verstaut, bietet er uns auf einem Tablett einen heißen Espresso an – original italienisch. Anschließend bittet er uns in seine kleine Küche. Auf dem Weg dorthin zeigt er uns seinen Gemüsegarten, um dessen Eingangstor sich ein wunderschöner, rot blühender Strauch rankt. Die verschiedensten Gemüsesorten, unter anderem Tomaten, Auberginen und Salat, hat er hier angepflanzt. Kräuter in allen Variationen wachsen links und rechts des Gartenzaunes. Wir betreten die bescheidene Küche, in der ein hoher Kühlschrank steht. Er wird, wie auch die Beleuchtung in der kleinen Mission, mit Solarstrom betrieben. Gekocht wird mit Gas, das in Flaschen gelagert ist. Auf dem Tisch stehen ein großes Stück italienischer Hartkäse, Salami und Schinken. Wie macht der Mann das nur, all diese Köstlichkeiten hier am Ende der Welt auf den Tisch zu zaubern?

Ständig ist er in Bewegung und nimmt sich kaum Zeit, sich einmal hinzusetzen. Nachdem er hier der Koch ist, wird er uns heute Abend bekochen, einfach, aber gut. »Derart feine Dinge auf dem Tisch gibt es hier natürlich nicht täglich«, gibt er augenzwinkernd zu und schenkt uns dabei Rotwein in die Kaffeetassen. Ja, so ist er, unkompliziert, herzlich und ein Organisationstalent! Er sprüht vor Energie und man fühlt sich bei ihm gut aufgehoben und sicher.

Während des Essens fragt ihn Albert, ob er mein Buch gelesen habe. »Oh ja«, erwidert er lächelnd, »ich habe genau gelesen, was Corinne geschrieben hat. Dass ich ihr die Türe vor der Nase zugeschlagen habe, fand ich besonders interessant!« Dabei steht er auf und spielt uns die Szene unserer ersten Begegnung, bei der ich eine ziemliche Abfuhr von ihm erhielt, vor, was ein herzliches Gelächter auslöst. Jedenfalls könne er bestätigen, dass das, was er im Buch gelesen habe, den tatsächlichen Geschehnissen, so weit er sie mitbekommen habe, voll entspricht. Er ergänzt, dass aus seiner Sicht die Liebe zu Lketinga nicht von Bestand sein konnte, weil Ehe und Sexualität bei den Samburu ganz anders gelebt werden als in Europa.

Nachdem auch er ausführlich den schlimmen Überfall der Turkana geschildert hat, berichtet er von einer neuerlichen Gefahr für dieses Gebiet, denn die Regierung möchte die Gegend zwischen Barsaloi und Sererit zu einem Wildreservat erklären lassen. Den Einheimischen würde versprochen, durch den Tourismus Arbeitsplätze für sie zu schaffen. Doch was sie verlieren würden, wäre wesentlich schwerwiegender: nämlich die Verfügungsgewalt über ihr Land. Sie könnten dann für ihre Herden nicht mehr genügend Weidegrund finden. Hier können sie nur überleben, wenn sie das traditionelle Leben als Halbnomaden mit ihren Herden führen, davon ist Giuliani überzeugt.

Er redet sich richtig in Rage bei der Vorstellung, dass man diesen Menschen das Land wegnehmen könnte. Und hier in Sererit wäre das besonders schlimm, da das ganze Jahr über sauberes Trinkwasser von den Bergen fließt. Anschaulich erklärt er uns alles anhand einer Landkarte.

Trotz der spannenden Erzählungen muss ich mich zwischendurch nach der Toilette erkundigen. Giuliani zeigt auf ein winziges Hüttchen, das aus Plastik und Strohgeflecht besteht. Schon beim Eintreten muss ich mir ein lautes Lachen verkneifen. Auch hier ist die Toilette nur ein Plumpsklo, aber was für eines! Über dem Loch ist eine Holzverkleidung angebracht, an der ein halbierter Baumast links und rechts, schön gebogen, die WC-Brille ersetzt. Natur pur! Daneben ist die

Dusche installiert, die nach demselben System funktioniert wie am Filmset. Sogar einen separaten Wasserhahn gibt es, so dass man sich bei fließendem Wasser die Hände waschen kann! Voller Begeisterung verlasse ich diesen Ort, um meinen Begleitern davon vorzuschwärmen. Beim ersten Ton jedoch brechen sie in schallendes Gelächter aus. Als ich sie verwundert anblicke, erfahre ich, dass Giuliani ihnen schon prophezeit hat, dass ich begeistert zurückkommen würde, da er diesen Spezialsitz extra für mich gebaut hat.

Während die Herren vor Giulianis Häuschen weiterscherzen, höre ich Glockengebimmel und sehe hinter dem Gartenzaun einige schwarz-weiße Kühe, die langsam nach Hause traben. Hinter ihnen laufen zwei Krieger und ein Mädchen, die neugierig und stumm zu uns hochschauen. Sicher begegnen sie hier äußerst selten weißem Besuch. Ich möchte mich ein wenig bewegen und mache mich auf den Weg, das kleine Missionsareal zu erkunden. Während des Rundgangs erblicke ich überrascht im Garten einen traditionell gekleideten und geschmückten Krieger. Seinen nackten Oberkörper zieren farbige Perlenschnüre und über dem roten Hüfttuch trägt er ein Buschmesser. Recht seltsam und ungewohnt ist für mich allerdings, dass er in der rechten Hand eine grüne Gießkanne hält, mit der er sorgfältig den Garten wässert. Er schaut nicht auf, sondern konzentriert sich auf seine Arbeit.

Giuliani erklärt später, dass ihm bei der Arbeit häufig Samburu helfen und er sie dafür natürlich auch entlohnt. Auf diese Weise lernen die Samburu Arbeiten zu verrichten, die sie früher nicht kannten oder deren Sinn sie nicht einsahen. Auch als er die einfache Mission, die Schule und die Straße baute, halfen ihm die Samburu. Er sei hier, um den Menschen in erster Linie das Leben zu erleichtern, sei es durch Aufklärung über Hygiene und Krankheiten oder durch Schulbildung und das Entwickeln von Möglichkeiten, etwas daraus zu machen. So ist er in dieser abgelegenen Region Arbeitgeber, Lehrer, Freund, Ratgeber und Helfer in einer Person.

Während meines kleinen Spaziergangs sehe ich ansonsten kaum einen Menschen und habe den Eindruck, dass hier nahezu niemand wohnt. Aber wie fast überall im Busch taucht plötzlich wie aus dem Nichts ein menschliches Wesen auf, wenn man sich gerade ganz sicher ist, weit und breit allein zu sein. Ich blicke noch eine Weile in die wildromantische Landschaft, bevor ich mich zu Giuliani in die Küche geselle, um ihm beim Anrichten des Abendessens zu helfen. Doch ich darf lediglich seine letzten Tomaten und Zwiebeln für den Salat zerkleinern, alles andere kocht er höchstpersönlich.

Auf einmal ertönt in die Stille hinein italienische Opernmusik. Völlig unvorbereitet trifft mich der klare Klang und ich bekomme trotz der Wärme eine leichte Gänsehaut. Die Musik ist so ungewöhnlich an diesem kargen, entlegenen Ort, dass sie fast überirdisch klingt. Giuliani bemerkt mein Staunen und singt laut und fröhlich mit. Auch Klaus und Albert werden von den Klängen angelockt und schauen herein. Schnell ist geklärt, dass die Quelle für die verzaubernden Töne ein mit Solarenergie betriebener CD-Spieler ist.

Bald sitzen wir alle vor einem mit Knoblauchspaghetti gefüllten Teller. Dazu gibt es in einem Blechtopf gebratenes Ziegenfleisch, das wunderbar schmeckt. Während des Essens erzählt unser Gastgeber von seinen nächsten Vorhaben. Unter anderem will er, wenn er das nötige Geld beisammen hat, eine etwas größere Kirche bauen, da diese bald nicht mehr ausreicht, wie wir uns morgen bei der Messe überzeugen könnten. Später möchte er eine Piste anlegen, die von hier direkt nach Barsaloi führt, denn in der Regenzeit muss er einen beträchtlichen Umweg fahren, weil der Fluss nicht passierbar ist. Gerade bei Krankheiten oder Unfällen, wenn es gilt, keine Zeit zu verlieren, erweist sich dies als Problem.

Während er seine Pläne ausbreitet, fällt ihm immer wieder eine Geschichte aus meinem Leben mit Lketinga ein, die wir dann gemeinsam und uns gegenseitig ergänzend Albert und Klaus erzählen. Auch der ältere Pater hört aufmerksam zu.

Doch plötzlich steht er auf und verlässt die Küche. Er möchte auf keinen Fall seine italienischen Nachrichten verpassen. Wir schauen uns etwas verständnislos an, bis Giuliani erklärt, dass jeden Abend zur gleichen Zeit ein italienischer Sender zu empfangen sei.

Etwas später treten auch wir in die mittlerweile sternenklare Nacht und sehen den Pater auf einem Stuhl sitzen und ein kleines Radiogerät andächtig an sein Ohr drücken. Es ist ein anrührendes Bild. Wir setzen uns auf die freien Stühle und Giuliani zieht ein Eisenbettgestell in unsere Mitte. Ungeniert streckt er sich darauf aus und erklärt einige Sternbilder. Dies sei ihr allabendliches Ritual: Beide säßen hier, sein älterer Kollege höre die Nachrichten und danach würden sie diskutieren oder die Sterne beobachten. Nach acht Uhr gingen sie normalerweise zu Bett.

Während wir Giulianis Erzählungen lauschen, erkenne ich an den gegenüberliegenden Hügeln kleine, flackernde Feuerscheine, die wohl von den Kochstellen der Manyattas stammen. Ab und an dringen, vom Wind hergetragen, Menschenstimmen zu uns. Es ist absolut einsam und friedlich. Giuliani jedoch liegt kaum zehn Minuten ruhig, dann springt er auf, um etwas zu erledigen. Ich nutze die Gelegenheit und lege mich auf das Eisengestell, um die Sterne aus der Waagrechten zu betrachten. Der Mond ist voll und von einem hellen Hof umgeben. Die Sterne hängen so tief, dass man sie pflücken möchte. In diesem Moment fühle ich mich eins mit der Natur und mich ergreift ein richtiges Hochgefühl.

Giuliani kommt zurück und fragt lachend: »Corinne, gefällt dir dieses Bett? Ich habe es selbst gebaut. Wenn du willst, kannst du hier draußen schlafen, ich mache das manchmal auch.«

So etwas muss man mir nicht zweimal anbieten – natürlich will ich! Ich hole meine dünne Matratze, den Schlafsack und zwei Decken und richte auf dem Gestell ein kuscheliges Bett her. Meine Begleiter schauen etwas skeptisch und Klaus fragt:

»Ist das dein Ernst, willst du wirklich draußen schlafen? Du weißt doch nicht, was hier nachts so alles rumkrabbelt!« »Kein Problem, Klaus, das muss jetzt sein. Eine Nacht hier im Busch unter freiem Himmel ersetzt mir die verpasste Nacht in Mamas Manyatta«, erwidere ich freudig.

Alle besuchen, mit einer Taschenlampe ausgerüstet, noch einmal das »Bad«, bevor jeder seinen Schlafplatz aufsucht. Die Fahrer klettern unter die Plane auf dem Laster und Albert und Klaus verschwinden in ihrer »Konservendose«. Ich schlüpfe in den leichten Schlafsack, lege die Decken darüber und ziehe die Kapuze meines Trainingsanzugs über den Kopf, da es in der Nacht kalt werden wird. Es ist herrlich und ich könnte jauchzen vor Freude! Ich habe den Eindruck, am Ende der Welt angekommen zu sein, und fühle mich frei und leicht und winzig klein im Angesicht des Universums. Auch vermeintliche Probleme erscheinen auf einmal unbedeutend und unwichtig. Unentwegt schaue ich zum Himmel und erkenne immer wieder neue Sternbilder. Weit oben hinter einem dunklen Hügel erscheint plötzlich ein blinkendes Licht. Bald ist mir klar, dass es sich um ein Flugzeug handelt, das in 10.000 Meter Höhe über mich hinwegfliegt, irgendwohin.

Giuliani hantiert ein letztes Mal in seiner Küche, bis auch dort das Licht ausgeht. Die Fahrer diskutieren noch leise in ihrer Sprache, dann ist es endgültig still. Meine Gedanken kehren nach Barsaloi zu meiner Familie zurück. Ich frage mich, wie wohl morgen das Fest verlaufen wird und wie viele Menschen vorbeikommen werden. Zugleich steht uns dann der Abschied bevor. Doch schnell verdränge ich diesen Gedanken, da er mein momentanes Glücksgefühl merklich dämpft.

Hie und da raschelt es, aber es kümmert mich nicht, denn ich liege einen Meter über dem Boden. Die Luft ist rein und klar. Als mich die Müdigkeit überfällt, bedanke ich mich in einem leisen Gebet für das bis jetzt gelungene Wiedersehen in Barsaloi und Sererit und schlafe ein. Mitten in der Nacht wache ich noch einmal auf. Meine Nasenspitze ist kalt, die

Decken sind vom Bettgestell gerutscht und eine kleine Katze schläft darauf. Erneut niste ich mich ein und das kleine Kätzchen liegt nun schnurrend neben mir. In der Ferne höre ich mehrmals das Brüllen einer Raubkatze. Entweder ein Löwe oder ein Leopard, überlege ich kurz, bevor ich wieder einschlafe. Am nächsten Morgen erfahre ich von Giuliani, dass es sich um einen der hier noch relativ zahlreich lebenden Leoparden handelte.

Gottesdienst in den Ndoto-Bergen

Heute ist nicht nur Sonntag, sondern auch Alberts Geburtstag. Natürlich möchte er es verheimlichen, was ihm selbstverständlich nicht gelingt. Dafür habe ich vorgesorgt. Schon zum Frühstück wird ein Ständchen geträllert, wobei Giulianis Stimme alle anderen übertönt. Danach muss der Pater sich vorbereiten und uns bleibt bis zur Messe noch eine Stunde Zeit. Klaus nimmt seine Kameraausrüstung und wir drei marschieren den Weg entlang, auf dem gestern die Kühe nach Hause trabten. Nach kurzer Zeit erreichen wir das ausgetrocknete Flussbett, das von schönen Felsen durchzogen ist. Klaus und ich finden, dies sei der richtige Platz, um Alberts Geburtstag den gebührenden Rahmen zu verleihen. Wir setzen uns auf Felsen und ich überreiche ihm meine Geschenke, während Klaus filmt. Schließlich kann nicht jeder von sich sagen, dass er seinen Geburtstag im hintersten afrikanischen Busch in einem Bachbett gefeiert hat und dabei Päckchen aus der Bahnhofstraße in Zürich öffnen durfte. Albert ist gerührt und wir lachen herzlich.

Wie schon so häufig haben wir auch bei dieser kleinen Geburtstagszeremonie Zaungäste. Kaum haben wir uns niedergelassen, da tauchen auch schon wie aus dem Boden gewachsen ein paar Kinder auf.

In einigen Metern Entfernung stehen die Kinder einfach da und beobachten mit regungslosem Gesicht unser Treiben. Erst nach einer guten halben Stunde scheint ihr Interesse zu schwinden und sie ziehen langsam und lautlos weiter.

Wir kehren gerade rechtzeitig zurück, als sich die ersten Besucher in der Mission einfinden. Fast ausnahmslos sind es traditionell gekleidete Frauen und Mädchen. Die meisten haben Kinder bei sich. Diese bekommen zuerst eine Tasse Utschi, einen flüssigen Maisbrei, bevor sie sich mit den Müttern auf den Kirchenbänken niederlassen. Immer mehr Menschen füllen die Kirchen-Manyatta. Einige bleiben einen Moment irritiert stehen, als sie uns und vor allem Klaus mit der Kamera erblicken, andere beachten uns kaum. Die meisten Kinder tragen ein einfaches rotes Schulröckchen, die Frauen dagegen haben sich besonders schön geschmückt und ihre farbenfrohen Kangas sehen strahlend sauber aus. Ihre Gesichter glänzen, da sie mit Fett eingerieben sind, und ihre Köpfe zieren farbige Stirnbänder. Einzelne haben sogar den immer seltener werdenden Halsschmuck aus Giraffenhaar umgelegt, der normalerweise nur bei großen Festen getragen wird.

Der Sonntag in der Kirche scheint für diese Frauen durchaus ein Festtag zu sein. Sie singen und klatschen mit solch einer Hingabe und Freude die wunderschönen afrikanischen Kirchenlieder, dass mir warm ums Herz wird. Begleitet wird der Gesang von einer kleinen Trommel und zwei aus Weidenästchen und leeren Flaschendeckeln gebastelten Tamburinen. Die Lieder klingen lebensfroh und rhythmisch. Einige Frauen sind so versunken, dass sie mit dem Kopf wippen, wie bei den traditionellen Tänzen. Meist singt eine mit einer kräftigen hellen Stimme vor und alle stimmen mit ein. Dies wiederholt sich so lange, bis Pater Giuliani mit einem Metallköfferchen erscheint, sein Messgewand herausholt und es über seine zivilen Kleider streift. Er deckt den einfachen Tischaltar mit einem farbigen Tuch und stellt einen Becher mit Wein und das Schälchen mit den Hostien darauf.

Mittlerweile ist die Rundhütte, in der lediglich ein schlichtes Holzkreuz und einige einfache Papierbilder von der heiligen Maria und dem Jesuskind auf eine christliche Kirche hinweisen, bis auf den letzten Platz gefüllt. In der hintersten Reihe sitzen sogar einige ältere Männer, was für Pater Giuliani spricht. Um einen Samburu in eine Kirche zu locken, muss man sich schon einiges einfallen lassen. Zwischen den Gesängen erzählt Giuliani Geschichten auf Kisuaheli, die von einem Samburu in Maa übersetzt werden. Gegen Ende der Messe wird die Hostie verteilt und anschließend erneut gesungen. Zum Schluss reichen sich alle gegenseitig die Hände. Ich blicke in die schönen markanten Gesichter der Frauen und habe den Eindruck, dass der Kirchenbesuch ihnen nicht nur Abwechslung, sondern auch Freude bereitet. Die Messe ist zu Ende und Giuliani verstaut sorgfältig seine Utensilien, während der Übersetzer den Alten noch etwas Kautabak für den Nachhauseweg in die Hände drückt. Für uns war dieser Gottesdienst ein beeindruckendes Erlebnis, das noch lange in unserer Erinnerung bleiben wird.

Abschiedsfest

Nun wird es jedoch höchste Zeit, nach Barsaloi aufzubrechen. Giuliani wird uns wieder eine Wegstrecke begleiten, da er nach Nairobi fahren muss. Mit Besorgnis sehen wir in der Ferne dunkle Wolken am Himmel. Das könnte bedeuten, dass der Fluss schon bald Wasser führt und wir den weiten Umweg fahren müssen. Giuliani ist schnell reisefertig. Wie ein Samburu kann er sich ohne große Vorbereitung auf den Weg machen. Als wir den Fluss erreichen, sehen wir an den Rändern bereits dunklen Sand. Der Wasserspiegel ist unterirdisch also bereits angestiegen. Wir beschließen daraufhin, den Umweg zu fahren, was sich später als sehr sinnvoll erweisen wird.

Nach längerer Fahrt erreichen wir den Außenbezirk von Baragoi, dem Hauptort der Turkana. Unwillkürlich denke ich an den Überfall vor ein paar Jahren. Von hier aus griffen die Turkana die Samburu an. Wir biegen kurz vor der Siedlung ab, als sich ein heftiger Regenschauer über uns ergießt. Es schüttet wie aus Kübeln. Man sieht kaum noch die Fahrbahn, auf der uns braunes Wasser entgegenrauscht. Zum Glück ist dies erst der Beginn der Regenzeit. Da die Erde noch sehr trocken ist, weicht sie nicht so schnell auf und ist noch befahrbar. Ich hoffe nur, dass es in Barsaloi nicht regnet, sonst wird es schwierig, die zahlreichen Feuer für unser Festessen in Gang zu halten. Giuliani beruhigt mich, meint aber, dass die Filmleute in Wamba sicher etwas Wasser abbekommen werden.

Nach einer längeren Fahrt auf regennassen Pisten kommen wir an der Stelle vorbei, an der Lketinga und ich wegen einer kaputten Autobatterie stecken geblieben waren. Lketinga musste einige Stunden zurücklaufen und Giuliani um Hilfe bitten, während ich hier draußen mit unserem Baby allein in der brütenden Hitze vier Stunden ausharrte. Die einzige Abwechslung waren damals Zebraherden und Strauße, die vorbeikamen. Giuliani an diese Situation erinnert, schüttelt den Kopf und meint lachend: »Nun, Corinne, das war nicht das einzige Mal, dass ich dir aus der Patsche helfen musste.«

Bald erreichen wir Barsaloi und zu meiner Erleichterung ist es zwar bewölkt, aber regenfrei. Pater Giuliani allerdings muss sich beeilen, wenn er den gefährlichen Wamba-River noch überqueren möchte. Wir verabreden zuletzt ein gemeinsames Abendessen in Nairobi, verabschieden uns herzlich von ihm und schon braust er in hohem Tempo in Richtung Wamba davon.

Im Missionsgelände beginnen die Fahrer mit dem Aufbau der Schlafplätze. Wir begeben uns zum Kral, in dem bereits viele Festgäste auf uns warten. James kommt uns sichtlich erleichtert entgegen: »Gott sei Dank seid ihr da! Wir haben den ganzen Tag über riesige Mengen gekocht. Die ersten Besucher sind schon am Vormittag gekommen und jetzt sind alle hungrig. Aber ich habe ihnen gesagt, dass es das Essen erst gibt, wenn ihr zurück seid.« Ich frage nach Lketinga und erfahre, dass auch er viel gearbeitet hat. Gemeinsam mit dem älteren Bruder hat er die vier Ziegen geschlachtet und das Fleisch zum Kochen in die verschiedenen Hütten verteilt.

Als wir den Kral betreten, fühle ich mich fast ein wenig überrumpelt. Von allen Seiten strömen Leute auf mich zu und begrüßen mich wie immer: »Supa, Mama Napirai, serian a ge?« Nach allen Seiten schüttle ich Hände und werde hie und da zur Segnung leicht bespuckt. Die meisten kenne ich zumindest vom Sehen her. Allein um Mamas Hütte haben sich drei Dutzend Frauen versammelt und warten geduldig. Mama können wir nur per Händedruck begrüßen. Zu meiner Freude sehe ich, dass sie ihren neuen farbigen Blumenrock trägt. Sie sitzt neben ihrer Tochter vor der Hütte und lächelt zufrieden.

James schlägt vor, mit dem Verteilen des Essens zu beginnen. Bald werden nämlich die Ziegen nach Hause kommen und dann haben die Frauen alle Hände voll zu tun. Dennoch werden sich der Tradition entsprechend natürlich zuerst die Männer satt essen. Es ist uns fast ein bisschen peinlich, dass alles schon seit Stunden fertig gekocht ist und nur auf uns gewartet wurde.

Lketinga trägt heute sein neues rotes Hemd. Er nimmt meinen Arm, zieht mich in einen Nebenraum von James' Behausung und zeigt mir mehrere riesige Schüsseln, die mit gekochtem Reis, Bohnen und Fleisch gefüllt sind. Ich bin stark beeindruckt, was sie alles vorbereitet haben. Das scheint Essen für mehr als hundert Leute zu sein! Papa Saguna wacht vor dem Eingang, während vor ihm eine Schlange von Männern mit ihrem Essgeschirr wartet. Lketinga spricht kurz mit ihm und dann kann es losgehen. Mit großer Ruhe und Ernsthaftigkeit organisiert der Bruder die Essensvergabe. Währenddessen erklärt mir Lketinga, wie sie alles zubereitet haben und wie sie den ganzen Tag beschäftigt waren, damit unsere Gäste das Fest genießen können. Es ist wirklich bewundernswert, was sie auf die Beine gestellt haben, und alles klappt reibungslos.

Dennoch stehen wir Europäer etwas verloren herum, da das Ganze mehr nach der Essensausgabe einer Hilfsorganisation aussieht als nach einem Fest. Die Feste zu meiner Zeit waren anders. Da wir damals außerhalb des Dorfes lebten, fanden auch alle Feiern in der offenen Savanne statt, wo die Gäste – malerisch in der Landschaft verteilt – das mit viel Mühe vorbereitete Essen zu sich nahmen. Wenn alle satt waren, tanzten nacheinander alle Altersgruppen, begleitet von rhythmischem Gesang, und es lag ein magischer Zauber über dem Fest.

Heute jedoch ist die Familie mit ihrem Kral im Dorf integriert, das Essen wird in einem geschlossenen Haus gereicht und getanzt wird anscheinend auch nicht. Vielleicht liegt es aber auch daran, dass es sich um ein Abschiedsessen und nicht um eine Hochzeit, eine Geburt oder etwas anderes Erfreuliches handelt.

Ich kehre zur Manyatta von Mama zurück und setze mich zwischen ihr und ihrer Tochter auf die Erde. Mit ernstem Gesicht schaukelt sie Saruni auf ihrem Schoß. Immer wieder sprechen mich neu hinzukommende Frauen an. Einige fragen, ob ich nun zu meinem Lepayian, meinem Ehemann, zurückkomme, andere interessieren sich natürlich für Napirai. Ich solle sie doch auch hierher bringen und mit ihr zusammen da bleiben, schlagen manche vor. Dass meine Tochter sicherlich keinen Gefallen an diesem Leben hier fände, weil sie viel zu sehr von der Schweizer Kultur geprägt ist, will ich diesen herzlichen Menschen natürlich nicht sagen. Ich erzähle ihnen, dass sie vielleicht das nächste Mal mit mir zu Besuch kommen wird, um ihre afrikanischen Wurzeln zu erkunden.

Die Frauen warten geduldig auf ihr Essen und sind zum größten Teil fröhlich. James erscheint und verteilt wenigstens schon mal etwas Kautabak. Auch ich halte zum Spaß meine Hand hin. Doch als ich mir das bittere Zeug in den Mund schiebe, entsteht helle Aufregung. Mama gibt energisch zu verstehen, ich solle sofort alles ausspucken. Lketingas Schwester spuckt vor mir auf den Boden und fordert mich auf, das Gleiche zu tun. Ich verstehe die ganze Aufregung nicht, weil fast alle dieses Zeug kauen. James erklärt mir, dass ich Magenprobleme bekommen würde. Auch sei ich noch zu jung, da ausschließlich alte Frauen Tabak kauten. Den Sinn kann ich im Moment nicht so recht verstehen, erfahre aber später zufällig im Spital in Wamba mehr darüber. Ich folge also der Aufforderung und spucke alles auf den Boden. Einige lachen und klatschen in die Hände, andere schauen mich immer noch finster an.

Eine Frau zieht meine Aufmerksamkeit besonders auf sich, da ich sicher bin, sie noch nie gesehen zu haben. Ihr kahl rasierter Kopf glänzt unnatürlich stark in der Sonne. Ihre Augen stehen weit auseinander und zwischen den Augenbrauen haben sich zwei tiefe, senkrechte Stirnfalten eingegraben. Den Mund zieht sie kräuselnd zusammen. Auch sie gibt mir die Hand, als würde sie mich schon lange kennen, und fragt nach Napirai. Dabei funkeln mich ihre Augen fast bösartig an. Etwas Unheimliches geht von der Frau aus. Ihre Aura gefällt mir nicht und deshalb stehe ich auf, um nachzusehen, wie lange es noch dauert, bis endlich die Frauen ihre Teller füllen können. Auf dem Weg zum Haus sehe ich Lketingas junge Frau mit zwei anderen Mädchen hinter Mamas Manyatta. Interessiert schaut sie herüber. Was mag wohl in ihrem Kopf vorgehen?

Lketinga beobachtet angespannt die wartenden Männer in der kürzer werdenden Kolonne. James bittet mich ins Haus, damit auch wir endlich essen können. Doch ich möchte erst zugreifen, wenn auch die anwesenden Frauen ihr Essen bekommen. Einige Männer sehe ich schon zum zweiten Mal anstehen. Etwas irritiert frage ich James, wann denn nun endlich die Mütter und die Kinder an die Reihe kommen. Sie stehen mittlerweile seit mehr als einer Stunde da und schauen herüber. Alle halten Schüsseln oder Teller in der Hand. James antwortet: »Die Frauen kommen an die Reihe, wenn alle Männer satt sind.« Jetzt werde ich fast ärgerlich, weil bald die Ziegen nach Hause kommen und die Frauen dann keine Zeit mehr haben werden. Ich stelle mich neben Lketinga und versuche, bei ihm etwas Mitleid für die Frauen zu erwecken. »Pole, pole – langsam, langsam –, bald sind die Letzten satt«, beruhigt er mich, geht zu seinem älteren Bruder und redet mit ihm.

Sie geben sich wirklich alle ungeheuer viel Mühe, aber ich bin eine Frau und wünsche mir, dass auch die Frauen und Kinder satt werden. Ich schaue in den Essensraum und sehe drei Männer genüsslich um die Töpfe sitzen. Überall liegen abgenagte Knochen auf dem Betonboden. Zu meiner Erleichterung stelle ich fest, dass es noch genug zu essen gibt. Endlich verlässt der letzte männliche Gast die Kammer und Lketinga ruft den Frauen etwas zu. Sofort bewegt sich die farbenfrohe Kolonne auf uns zu. Ohne Hast stellen sie sich in eine Reihe und warten geduldig. Mit ihrem gefüllten Essgeschirr stellen sie sich ums Hühnerhäuschen und beginnen im Stehen mit dem Essen. Zwischendurch werden immer wieder die Kleinkinder auf ihrem Rücken gefüttert. Dafür kauen die Frauen das Essen vor und schieben anschließend den Brei in die kleinen hungrigen Münder. Auch ich musste damals Napirai so ernähren, denn Babynahrung gibt es hier nicht. Mir fällt auf, dass die anstehenden Kinder immer wieder weggescheucht werden. Als ich James darauf anspreche, erklärt er: »Weißt du, ihre Mütter holen das Essen für sie mit, und damit nicht eine Familie doppelt bekommt und eine andere gar nichts, müssen die Kinder warten.«

Ich gehe herum und schaue überall in zufriedene Gesichter. Plötzlich steht der Mann, der mich auf Lketingas Frau aufmerksam gemacht hat, neben mir und meint, dass das Fest ein großer Erfolg sei, da so viele, vor allem Alte, gekommen sind. Sogar die angesehene Mädchenbeschneiderin sei da, was eine große Ehre sei. Dabei zeigt er auf die Frau, die mir vorhin vor Mamas Manyatta so unangenehm aufgefallen ist. Das ist also diejenige, die den jungen Mädchen, aus Tradition, so viel Leid zufügt. Nun ist mir mein Unbehagen, das ich bei der Begegnung mit ihr empfand, klar. Bei dem Gedanken, dass eine solche Frau unter Umständen meine Tochter hätte verstümmeln können, läuft mir ein kalter Schauer über den Rücken.

Als kurz darauf die Ziegen nach Hause kommen, stehen immer noch viele Frauen in der Reihe. Der Kral füllt sich mit den Tieren und eine gewisse Unruhe breitet sich aus. Einige der umstehenden Mädchen und Frauen eilen mit dem vollen Teller nach Hause, da die Arbeit ruft. Gerade möchte auch ich mich ins Haus zurückziehen, um endlich zu essen, als mein »Informant« wieder neben mir auftaucht und mir mitteilt, dass Lketingas Frau mir unbedingt die Hand geben möchte. Ich bin neugierig und folge ihm.

Mit den anderen zwei Mädchen steht sie hinter ihrer halbfertigen Manyatta. Ich strecke ihr meine Hand entgegen und begrüße sie mit »Supa«. Sie kichert verlegen und versteckt ihr Gesicht zur Hälfte hinter einer Hand. Der Mann redet mit ihr und daraufhin reicht sie mir schüchtern die Hand. Ich bin wahrscheinlich der erste weiße Mensch, den sie berührt. Ihr volles Gesicht wirkt noch sehr kindlich. Während ich die anderen beiden jungen Mädchen begrüße, erklärt mir der »Informant«, dass auch sie bereits verheiratet sind.

Jetzt bin ich wirklich erschüttert. Das eine Mädchen ist mindestens einen Kopf kleiner als Lketingas Frau und scheint noch nicht einmal zwölf Jahre alt zu sein. Als ich mein Entsetzen mitteile, lacht der Mann und sagt: »Ja, es ist verrückt, aber sie gehört diesem Mann da.« Dabei zeigt er in eine bestimmte Richtung. Doch bevor ich den Mann ausmachen kann, sehe ich Lketinga wütend auf uns zukommen. Noch während ich überlege, warum und wieso, schimpft mein Ex-Mann bereits los. Auch an seine Frau richtet er scharfe Worte, worauf sie sich scheu entfernt. Ich versuche ihn zu beruhigen und erkläre ihm, dass ich mich gefreut habe, seine Frau kennen zu lernen. Doch er hört nicht zu, sondern verlangt nachdrücklich, dass ich nicht mehr mit ihr spreche, weil das nicht gut sei. Irritiert ziehe ich mich in James' Haus zurück, damit ich nicht noch mehr anrichte, was Lketinga verärgern könnte.

James unterhält sich mit Albert und Klaus. Seine Frau steht etwas abseits. Saruni klebt natürlich am Papa, nur Little Albert ist nirgendwo zu sehen. Als wir nachfragen, legt James einen Finger auf seinen Mund und sagt: »Hört jemand ein Glöckchen bimmeln?« Alle lauschen und bald ist klar, Little Albert spielt noch draußen im Dunkeln. Wir lachen herzlich, als uns James erzählt, dass der Kleine bei solchen Anlässen ein Fußglöckchen trägt, damit er schneller zu finden ist.

Stefania holt einen großen Topf mit Fleischstücken und stellt ihn auf den Tisch. Jeder greift zu und James ist bemüht, uns auf die besten Stücke aufmerksam zu machen. Nun knabbern auch wir das Fleisch von den Ziegenknochen. Dazu gibt es Reis mit Bohnen.

Etwas später gesellt sich auch Papa Saguna zu uns und lädt sich seinen Teller voll. Er setzt sich nie auf einen Stuhl, sondern geht in die Hocke und lehnt sich in dieser Haltung an die Wand. Normalerweise ist er sehr still, doch wenn er einmal spricht, wird er äußerst lebendig. Im Moment scheint er aufregende Dinge über die Festvorbereitungen zu berichten. Am Ende seiner Erzählung spuckt er wie zur Bekräftigung auf den Boden. Jeder weiß noch etwas Lustiges zu berichten und es herrscht eine heitere Stimmung im Haus. Klaus und Albert erklären bereits nach einigen Stückchen Fleisch, satt zu sein, und ernten bei den erstaunten Brüdern dafür lautes Gelächter.

Als wir von unserem Besuch bei Pater Giuliani erzählen, fällt mir mein kleiner Rekorder ein. Während der Messe hatte ich die wunderschönen Gesänge aufgenommen. Nun schalte ich das Gerät ein und alle lauschen neugierig.

Die aufgeweckte Saruni kommt sofort zu mir, drückt es entzückt an ihr Ohr und beginnt, begeistert zur Musik mitzuwippen. Sogar ihren scheuen Bruder Little Albert kann sie herbeilocken, bis auch er sich das Kästchen ans Ohr halten lässt und seine Augen immer größer und runder werden. Erheitert schauen wir den beiden zu.

Nur Lketinga wirkt ernst und sagt kaum etwas. Ich glaube zu spüren, dass er sich schon mit dem Abschied befasst, denn er beobachtet mich ständig und intensiv. Unvermittelt fragt er: »Um welche Zeit geht ihr morgen?« »Wenn wir alles eingepackt haben, besuchen wir den Pater, um uns zu verabschieden, und danach kommen wir in den Kral und trinken noch einmal Chai mit Mama.« »Okay, no problem, Mama möchte euch segnen und Enkai mit auf den Weg geben. Und ich werde euch nach Maralal begleiten.« Ich bin überrascht und erfreut, denn so können wir den Abschied wenigstens in Etappen vollziehen.

Stefania hat sich mittlerweile mit den Kindern in den Schlafraum zurückgezogen. Bald treten auch wir den Weg zur Mission an, da alle müde sind. Lketinga begleitet uns bis zum Missionstor und wünscht uns eine gute Nacht.

Wie jeden Abend sitzen wir eine Weile auf den Campingstühlen und reden über unsere Eindrücke vom heutigen Tag. In gewisser Weise finden wir alle, dass dem Abend etwas Festliches gefehlt hat. Den Gästen jedoch scheint es, wie uns mehrfach beteuert wurde, gut gefallen zu haben.

Dann beraten wir den weiteren Ablauf unserer Reise. Albert muss in Richtung Nairobi aufbrechen, da er von dort in zwei Tagen seinen Rückflug antreten will, während ich noch eine weitere Woche in Kenia bleiben werde. Weil ein weiterer Besuch beim Filmset nicht sinnvoll erscheint und noch mehr Regen droht, beschließen wir, morgen gemeinsam nach Nairobi zu fahren. Nur das Spital in Wamba möchte ich unbedingt noch besuchen. Hier wurde ich mehrmals aufgenommen und erfolgreich behandelt, als mein Leben an einem seidenen Faden hing, und auch meine geliebte Tochter Napirai kam in diesem Krankenhaus zur Welt. Ich möchte ihr von dort ein paar Fotos mit nach Hause bringen. Immerhin war sie das erste Mischlingskind, das in Wamba geboren wurde. Meine

Begleiter verstehen mein Anliegen und so wird eine Route nach Nairobi ausgesucht, die über Wamba führt.

Nächtlicher Tanz

Während wir noch unsere Pläne schmieden, vernehmen wir erst leise, dann immer lauter Singen und Klatschen. Es hört sich nach einem Kriegertanz an und scheint ganz in der Nähe zu sein. Meine Müdigkeit ist wie weggeblasen. Ich schlage vor, uns auf die Suche zu begeben, damit Albert und Klaus auch einmal einen solchen Tanz miterleben können. Ich wickle mir eine dunkle Decke um den Körper, damit ich nicht friere und etwas getarnt bin. Schließlich wollen wir nicht stören. Doch als wir im Dunkeln das Tor des Missionsgeländes erreichen, stellen wir zu unserem Erstaunen fest, dass es abgeschlossen ist. Wir wussten gar nicht, dass wir nachts immer eingeschlossen wurden. Enttäuscht will ich mich zu unseren Zelten zurückbegeben, als in Albert offensichtlich der Krieger erwacht und er trotz später Stunde an die Haustüre der Mission klopft. Tatsächlich wird für uns nochmals geöffnet, damit wir den Tanz nicht verpassen. Früher habe ich viele dieser Tänze miterlebt und war jedes Mal völlig verzaubert, wenn die schlanken, graziösen Männer in die Höhe sprangen, stampften und dabei gesungen und rhythmisch geklatscht wurde.

Wir laufen durch das vom Mondschein erhellte Dorf, immer dem Gesang nach. Nach einigen Minuten erreichen wir die Ebene, wo sich eine kleine Gruppe versammelt hat. Wir setzen uns unter eine Akazie, damit wir nicht gleich erkannt und als störend empfunden werden. Nur wenige junge Männer und Mädchen sind anwesend. Schnell erkenne ich, dass es sich um Boys, um unbeschnittene Jungen handelt, die noch keine Krieger sind. Diese Tatsache könnte morgen zwar zu Diskussionen führen, weil es sich nicht gehört, dass ich als

»verheiratete« Frau eines ehemaligen Kriegers unbeschnittenen Boys beim Tanzen zusehe, aber ich bin vom Zauber des Tanzes schon zu sehr gefangen. Auch Albert und Klaus sind von dem Schauspiel fasziniert.

Ich erinnere mich an die aufregende Zeit, als Lketinga noch ein starker, schöner Krieger war. Er als der größte von allen sprang meistens am höchsten. Dabei flatterte seine lange rote Haarpracht im Wind. Nach stundenlangem Tanzen sahen die Krieger wild und unnahbar aus. Einige fielen manchmal sogar in eine Art Trance. Diese Boys hier sind von solchen Zuständen noch weit entfernt, da sie gerade erst mit dem Tanz begonnen haben.

Leider werden wir bald wahrgenommen und hören mehrmals das Wort »Mzungu«. Einige kommen herüber und begrüßen uns, andere tanzen weiter und ein paar entfernen sich. Da wir nicht stören wollen, ziehen wir uns zurück. Dennoch war dies ein schöner Abschluss des Festabends.

Als ich kurz darauf wieder in meinem Zelt liege, wird mir mit aller Macht bewusst, dass dies die letzte Nacht vor unserem Abschied ist. Lange kann ich nicht einschlafen und natürlich fließen auch ein paar Tränen. Ich hoffe nur, dass ich morgen beim Abschied nicht weinen muss.

Schwerer Abschied

Während die Fahrer am nächsten Morgen alles zusammenräumen, sind wir noch beim Pater in der Mission. Er zeigt uns den Samburu-Schmuck, den die Frauen in dem von ihm und James gemeinsam betreuten Projekt hergestellt haben. Nachdem die Frauen durch den Verkauf des Schmucks sich und ihre Familien bereits teilweise ernähren können, ist der Pater in der Lage, vermehrt Spendengelder für Härtefälle in Barsaloi oder für besondere Vorhaben, wie zum Beispiel die Schaffung neuer Wasserstellen, einzusetzen. Davon können alle profitieren. Es ist schön zu sehen, dass Spendengelder hier in guten Händen sind. Zum Abschied betont er, dass wir jederzeit willkommen sind. Er hoffe, dass er über den Spielfilm informiert werde, da die Menschen hier bestimmt interessiert daran seien. Wir versprechen, ihn bei seinen Vorhaben von Europa aus zu unterstützen und in Kontakt zu bleiben. Nachdem wir uns für die Gastfreundschaft bedankt haben, verlassen wir nach einem herzlichen Händeschütteln die Mission.

Im Kral sitzt Lketinga reisefertig vor Mamas Manyatta. Wir schlüpfen in ihre Hütte und James setzt sich erneut in meine Nähe, da ich Mama noch einiges sagen möchte. Ich weiß ja nicht, wann und ob ich sie überhaupt jemals wiedersehen werde. Zuerst sprechen wir über gemeinsame Erlebnisse und eine Geschichte ergibt die nächste. Unter anderem erinnere ich mich an den großen Regen, als Mama draußen stand, um ihre Hütte festzuhalten, damit sie vom Sturm und den Fluten nicht weggerissen wurde. Nachdem James übersetzt hat, lacht Mama leise. Lketinga fügt hinzu, dass er sich gut an das große Wasser im Fluss und die Rettung der beiden Kinder erinnert. Immer mehr Ereignisse, die wir gemeinsam erlebt haben, fallen uns ein.

Zum Schluss kündigt James an, dass Mama uns vor der Abfahrt segnen will, damit unser Leben geschützt ist und die Reise ein gutes Ende findet. Mama stehe als Älteste jeden Tag sehr früh, wenn alle noch schlafen, auf, segne den ganzen Kral und nenne dabei jedes Kind beim Namen. Sogar die Ziegen würden gesegnet, damit alle wieder gesund nach Hause zurückkehren. Danach lege sie sich wieder hin, bis auch alle anderen aufstehen. Wenn die Hütekinder mit den Tieren den Kral verlassen, segne sie diese ein weiteres Mal. Das sei sehr wichtig.

Als James seine Rede beendet hat, schaut Mama mich an und sagt mit viel Wärme und Kraft in der Stimme: »Ich werde immer für dich beten, damit du so alt wirst wie ich. Auch für

Napirai. Gib ihr alle Liebe, und sage ihr, meine Liebe ist groß. Sorge gut für sie und überbringe ihr herzliche Grüße von ihrer Großmutter.«

Jedes Wort einzeln versuche ich mir einzuprägen, und dabei steigen mir schon wieder Tränen in die Augen. Bewegt von ihren Worten, bitte ich James, ihr zu sagen, wie sehr ich mich gefreut habe, sie besuchen zu können, und dass das Wiedersehen mit allen wunderbar war. Wenn Gott es zulasse, werde sie noch am Leben sein, wenn ich mit Napirai zurückkehre. Während wir sprechen, halten wir uns gegenseitig an den Händen. Nur die Feuerstelle liegt zwischen uns. Das Reden fällt mir immer schwerer, da meine Stimme belegt ist. Meine Augen füllen sich bedrohlich und ich versuche, unauffällig darüber zu wischen. Schließlich möchte ich Mama mit meiner ständigen Heulerei nicht in Verlegenheit bringen. Sie bedankt sich für meine Worte und schüttelt mit warmer Innigkeit meine Hand. Als sie meinen Kampf mit den aufsteigenden Tränen bemerkt, lächelt sie kurz und sagt: »Trink Tee, das hilft.« Dankbar nehme ich die angebotene Tasse entgegen. Es ist verdammt schwer, bei diesem Abschied nicht zu weinen. Noch einmal bitte ich James, ihr zu erklären, dass meine Tränen ein Zeichen meiner tiefen Zuneigung zu ihr sind.

Während er anschließend die Abschiedsworte von Albert und Klaus übersetzt, schaue ich unentwegt Mama an. Ein Sonnenstrahl fällt durch das poröse Dach direkt auf ihren Kopf. Der Rauch verbindet sich mit dem Lichtstrahl und verleiht ihr, mit dem Baby im Arm, eine fast mystische Aura. Sie strahlt so viel Würde und Persönlichkeit aus und ich hoffe sehr, dass ich meine Tochter eines Tages mit ihrer Großmutter zusammenbringen kann. Mama ist das stärkste Bindeglied der Familie und in ihr leben die alten Traditionen. Sie verkörpert etwas, wovor jeder Respekt hat. Wir alle sind beeindruckt und bewegt.

Erst nach über einer Stunde kriechen wir aus der mittlerweile sehr warmen Manyatta und treten ins Freie. Im Kral haben sich einige Frauen und Kinder versammelt, die uns verabschieden wollen. Meine Brust fühlt sich eng an und am liebsten würde ich einfach richtig losheulen. Klaus erheitert ein weiteres Mal die Kinder mit den Digitalfotos und hält die letzten Erinnerungen fest.

Ich stelle mich zwischen Lketingas Schwester und Mama. Beide schauen sehr ernst. Die Schwester drückt immer wieder ihren Kopf an meine Schulter. Man spürt, dass auch sie versucht, ihre wahren Gefühle nicht zu zeigen. Mama trägt ihren schönen Blumenrock und ihr neues blaues Schultertuch. Mit den Händen stützt sie sich würdevoll auf ihren langen Stock. James mit seiner sprudelnden Art versucht noch einmal, alle zu erheitern, bevor er die Segnung ankündigt. Wir Europäer stehen zwischen ihm und Lketinga, als Mama mit geschlossenen Augen laut zu beten beginnt. Nach jedem Satz antworten wir mit »Enkai«. Nachdem die kleine, uns alle bewegende Zeremonie beendet ist, umarme ich Mama zum letzten Mal und schaue ihr stumm in die Augen. Sie drückt für einen kurzen Moment ihren Kopf an mich und sagt: »Lesere, lesere – auf Wiedersehen.«

Nun verabschieden wir uns von James, Stefania, den Kindern und Lketingas Schwester. Im Hintergrund bemerke ich die junge Frau meines Ex-Mannes. Unsere Blicke treffen sich. Ich habe das Gefühl, dass sie mir mit ihren Augen etwas mitteilen möchte. Doch was? Ich weiß es nicht. Ich hoffe, dass ihr Leben an Lketingas Seite einigermaßen angenehm verlaufen wird. Von neuem konnte ich feststellen, wie lustig, witzig und fürsorglich er sein kann, wenn er will. Vielleicht wird er durch meinen Besuch, bei dem wir so viel miteinander gelacht haben, auch mit ihr etwas umgänglicher – wer weiß?

James gibt mir Grüße an meine Mutter, ihren Mann Hanspeter und den Rest meiner Familie, ganz besonders natürlich an Napirai, mit auf die Reise.

Auf dem kurzen Weg zum Wagen schüttle ich viele Hände und höre immer wieder: »Lesere, Mama Napirai, lesere!«

Langsam fahren wir aus dem Dorf und links und rechts winken uns viele Menschen hinterher. Traurigkeit macht sich in mir breit und ich bin froh, dass Lketinga mit uns fährt, so ist die Verbindung noch nicht ganz abgebrochen. Dieser Besuch war für mich wie ein Fenster, durch das ich nach all den Jahren in meine bewegende Vergangenheit zurückblicken konnte. Wenn sich auch manches verändert hat, habe ich doch vieles so vorgefunden, wie es damals war. Eine Distanz zu den Menschen habe ich nicht gespürt, im Gegenteil, ich empfand es wie ein Nachhausekommen. Meine afrikanische Familie und auch die Dorfbewohner haben mich aufgenommen wie eine lange verloren geglaubte Tochter. Und genau das ist es, was mir jetzt den Abschied so schwer macht.

Im Wagen spricht niemand. Lketinga schaut geradeaus und sieht irgendwie älter und eingefallener aus. Das beunruhigt mich, doch dann erinnere ich mich, wie er Albert einige Tage zuvor zur Seite nahm und ihm anvertraute: »Albert, I have really changed my live, I'm happy now.«

Wir erreichen Opiroi und plötzlich zeigt Lketinga auf eine Gruppe von Frauen und Kindern: »Schau, dort ist Mama Natascha, willst du sie begrüßen?« Natürlich will ich das! Wir haben uns früher viele Male gegenseitig besucht und bei einem dieser Besuche war es, dass ich ihrer Tochter den Namen Natascha gab. Ihr Ehemann ist ein Halbbruder von Lketinga. Auch ihn mochte ich sehr gern. Mit ihm konnte ich stundenlang lachen. Er kannte wirklich nichts aus der »Welt der Weißen«. Feuerzeuge waren für ihn etwas Unheimliches, er nannte sie brennende Hände. Coca Cola hatte er noch nie getrunken, allein die dunkle Farbe machte ihn misstrauisch. Als er den ersten kohlensäurehaltigen Schluck trank, spuckte er in heller Aufregung alles weit von sich.

Mama Natascha kommt mit einem Kleinkind auf dem Arm auf mich zugelaufen und ruft: »Supa, Mama Napirai!« Ich umarme sie und freue mich mit ihr. Sie hat von Natascha erfahren, dass ich hier bin. Ich frage nach ihrem Mann und erfahre, dass er mit den Kühen unterwegs sei. Als Erstes erkundigt sie sich nach Napirai. Ich muss ihr zeigen, wie groß mein Kind mittlerweile ist. Als sie hört, dass Napirai zur Schule geht, streckt sie mir lachend ihr jüngstes Kleinkind entgegen und meint: »Nimm diesen Jungen mit und stecke ihn auch in eine Schule.« Alle Umstehenden lachen. Lketinga übersetzt, dass sie inzwischen sieben Kinder habe und es allen gut gehe. Ich glaube, dass ihre Ehe glücklich ist, denn ihr Mann wirkte immer gutmütig und hat auch keine Zweitfrau geheiratet.

Um Mama Natascha herum stehen noch weitere Frauen. Alle tragen in ihren Kangas Kleinkinder am Rücken. Eine von ihnen ist noch mit gegerbtem Kuhfell bekleidet. Zwei ältere Männer erkennen und begrüßen mich. Sie fragen, ob ich mich an sie erinnere. Da ich ihnen eine Freude machen möchte, nicke ich. Sie segnen mich mit ihrer Spucke. Bevor wir weiterfahren, krame ich meine zwei Lieblingskangas aus der Reisetasche und schenke sie Mama Natascha. Überrascht bedankt sie sich mehrmals und ich freue mich, zum Abschluss noch eine fröhliche Bekannte getroffen zu haben.

Die Fahrt führt uns wieder an der halbfertigen »Termitenkirche« vorbei und hinauf in dichter bewaldetes Gebiet. Es rumpelt und schaukelt fürchterlich. Wenn hier richtig Regen fällt, wird diese Straße sicher bald weggeschwemmt und unbrauchbar sein.

Wir legen nur noch eine kurze Rast vor Maralal ein, da in der Ferne der Regen schon zu sehen ist. Es ist merklich kühler geworden. Lketinga spricht für seine Tochter Napirai ein paar Sätze auf meinen kleinen Rekorder. Gerade hat er den letzten Satz gesprochen, als sich ein sintflutartiger Regen über uns ergießt. Schnell klettern wir ins rettende Auto zurück und beeilen uns, nach Maralal zu kommen, bevor die Straße zum Schlammfeld wird. Schon rauscht uns das Wasser entgegen. Die Tiere, denen wir begegnen, stehen reglos in den auf sie niederprasselnden Schauern und die Menschen suchen Schutz unter Bäumen. Die Fahrer müssen die mit Wasser gefüllten

Schlaglöcher vorsichtig umfahren, da in der braunen Brühe nicht auszumachen ist, wie tief sie sind.

In Maralal möchten wir gemeinsam mit Lketinga in einem einheimischen Lodging essen. Ich schlage das Somali-Restaurant vor, da ich gute Erinnerungen daran habe.

Als ich meine erste Malaria hatte und fast vier Wochen kaum Nahrung zu mir genommen hatte, war ich dem Erschöpfungstod nah. Die Ärzte im Maralal-Spital waren mit der Schwere meiner Krankheit überfordert und den Weg in das viel bessere Spital in Wamba hätte ich nicht mehr geschafft. Lketinga und meine damalige Freundin Jutta schleppten mich verzweifelt aus dem Spital direkt zum Somali-Restaurant. Es war ihre letzte Hoffnung und es klappte. Die gekochte Leber mit Zwiebeln und Tomaten, die mir dort vorgesetzt wurden, waren das erste Gericht, das ich in kleinen Häppchen essen und bei mir behalten konnte. Das war der erste Schritt zur Genesung.

Jetzt parken wir direkt davor und beim Eintreten staune ich, wie groß das Lokal geworden ist. Es herrscht viel Betrieb. Lketinga stülpt sich die Kapuze seiner Jacke über den Kopf. Das hat er früher schon gemacht, wenn er nicht erkannt werden wollte. Er fragt mich, was ich möchte, und gibt meinen Wunsch weiter. Doch leider gibt es keine Leber mehr. So bestelle ich Ziegenfleisch mit Kartoffeln und süßen Chai. Lketinga isst nur Brotfladen und trinkt Chai.

Immer wieder wundere ich mich, wie wenig er zu sich nimmt. Sein Blick irrt unruhig hin und her. Es ist schwierig, an einem solchen Ort Abschiedsworte zu formulieren, und so sitzen wir mehr oder weniger schweigend da, obwohl die letzten gemeinsamen Minuten verfliegen.

Ich frage ihn, was er hier in Maralal machen wird. Er antwortet, dass er zur Bank gehen wird, um zu sehen, ob das zugesagte Geld der Filmleute eingetroffen ist. Ein paar persönliche Worte will ich noch an ihn richten: »Bitte, Lketinga, pass auf dich auf! Fange nicht mehr mit dem Alkohol an. Ich bin sehr froh, dass du in diesen Tagen keinen Tropfen getrunken hast. Ich habe gesehen, dass du dein Leben geändert hast, und das macht mich glücklich. Ich werde Napirai davon erzählen und eines Tages kommt sie mit mir nach Barsaloi.«

Er schaut mich an und erwidert schlicht: »Okay, I will wait for you.«

Es wird Zeit aufzubrechen und wir verlassen das laute Lokal. Draußen gießt es in Strömen und Maralal versinkt im Morast. Überall stehen Menschen unter den Unterständen und warten das Ende des Regens ab. Wie soll ich mich hier nur von Lketinga verabschieden? Eine Umarmung vor all den Fremden, die uns beobachten, wäre nicht möglich, ohne ihn lächerlich zu machen. Lketinga wirft eine dünne Decke über die Kapuzenjacke, schaut mich mit ruhigem und ernstem Gesicht an, berührt meinen Arm und sagt: »Okay, lesere.«

Er verabschiedet sich kurz von Albert und Klaus und verschwindet, ohne sich umzusehen, zwischen den anderen Leuten. Wir fahren langsam los und ich suche ihn mit meinen Augen, kann ihn aber nicht mehr ausfindig machen, denn zu viele Menschen im Gedränge haben ebenfalls Tücher und Decken über ihre Köpfe geworfen.

Ich bin sehr traurig. Ich liebe diesen Mann nicht mehr, aber er ist der Vater meiner Tochter und dadurch bleiben wir unser Leben lang verbunden. Während unseres Besuches habe ich wieder neu gelernt, ihn zu achten. Er hat viel dazu beigetragen, dass dieses Wiedersehen gelungen ist.

Dank seines und James' Humor habe ich in diesen Tagen mehr gelacht als im vergangenen halben Jahr davor. Deshalb empfinde ich diesen kurzen Abschied fast tragisch. Auch er war traurig, das sagte mir sein bewegungsloses Gesicht. Aber er lebt wieder ganz in seiner Welt und ich in meiner, und beiden geht es gut dabei. Die Verbindung lebt in unserer gemeinsamen Tochter weiter.

Der letzte Abend im Samburuland

Die Nacht wollen wir wieder im Maralal Lodging verbringen, unsere letzte Übernachtung im Samburugebiet. Ich beziehe dasselbe hübsche Zimmer mit Kamin. Draußen ziehen trotz des Regens Zebras und Wildschweine zum Wasserloch. Wir haben noch genügend Zeit bis zum Abendessen und so gönne ich mir ein heißes Bad, um meine Beklommenheit aus der Brust zu lösen. Das Wasser läuft mit einem rotbraunen Schimmer ein, was dem Regen zuzuschreiben ist. Ich genieße es trotzdem, denn heikel darf man in Afrika nicht sein.

Gerade als ich fertig bin, klopft jemand an die Türe und ruft: »Madame, ich habe eine Nachricht für Sie. Sie werden im Restaurant erwartet.« Neugierig mache ich mich auf den Weg. Zwei afrikanische Männer sitzen in den Sesseln. Erst beim Nähertreten erkenne ich einen der beiden. Es ist der Buscharzt aus Barsaloi, der mir ein paar Mal mit Gesprächen und Diagnosen geholfen hatte. Sofort ist ersichtlich, dass er dem Alkohol zugeneigt ist. Sein Begleiter wird mir als Beamter aus Maralal vorgestellt. Überrascht begrüße ich den Buscharzt. Mein Gott, hat er sich verändert! Sein Gesicht ist aufgedunsen und ihm fehlen ein paar Zähne. Ich bin richtig schockiert. Er gibt offen zu, dass er lange Zeit Alkoholprobleme hatte. Ich erkundige mich nach seiner Frau und den Kindern, die ich gut kannte. Nach einer eher knappen Antwort erklärt er, dass er Lketinga in Maralal getroffen und von ihm erfahren hat, dass wir die Nacht hier verbringen.

In der Zwischenzeit ist auch Albert dazugekommen. Sofort beginnt er, Albert von meinen zahlreichen Krankheiten zu berichten. Wie viele Male er glaubte, dass ich dem Tode nahe war, vor allem, als er mich mit dem Flugzeug der »Flying Doctors« nach Wamba begleitet habe. Ich wusste gar nicht, dass er mit in dem kleinen Rettungsflugzeug saß, da ich zu schwach war, irgendetwas wahrzunehmen und nur Angst um mein ungeborenes Kind hatte. Ausführlich schildert er die dramatische Rettungsaktion und erwähnt dabei, dass der damalige Pilot leider nicht mehr am Leben sei. Er vermute, dass dieser an Malaria gestorben ist. Diese Information erschüttert mich, da jener Pilot mit einer spektakulären Landung im Busch mir und meinem ungeborenen Kind just bei dieser Krankheit das Leben gerettet hat.

Wir tauschen noch einige Erlebnisse von früher aus, unter anderem erinnert er mich daran, dass er mir zur Hochzeit eine Ziege geschenkt hat. Bevor er sich mit seinem Begleiter von mir verabschiedet, kommt die unvermeidliche Bitte um Geld. Er hätte offene Rechnungen im Krankenhaus und wisse nicht, wie er sie finanzieren solle. Sicher ist das der Grund seines Besuches. Ich gebe ihm, was ich für angemessen erachte. Als er mit seinem Begleiter geht, hinterlässt er ein ungutes Gefühl in mir. Schade, denke ich, was der Alkohol aus diesem Menschen gemacht hat.

Beim Abendessen sind wir wieder die einzigen Gäste. Wie kann diese Lodge nur existieren? Die gesamte Dekoration und Einrichtung ist noch dieselbe wie vor achtzehn Jahren – einfach, aber gemütlich. Heute ziehen wir uns alle früh in die Zimmer zurück. Ich genieße das knisternde Kaminfeuer und versuche mir vorzustellen, wo sich Lketinga wohl gerade aufhält. Ich hoffe sehr, dass er mit dem bescheidenen Reichtum umgehen kann und nicht wieder dem Alkohol verfällt.

Bevor ich einschlafe, spüre ich ein starkes Bedürfnis, für meine Familie zu beten: »Lieber Gott, lass Mama noch lange leben. Schütze Lketinga und seine kleine Familie und lass ihn wieder Vater werden. Gib James die nötige Kraft, damit er noch lange für uns alle zwischen den beiden Welten der Mittler sein kann. Beschütze auch meine Tochter Napirai und hilf ihr dabei, ihre Wurzeln mit Stolz anzunehmen.«

Das Hospital in Wamba

Schon früh am nächsten Morgen brechen wir auf. Wir fahren eine neue Route, so dass wir den großen, inzwischen mit Wasser gefüllten Fluss vor Wamba nicht passieren müssen. Ein letztes Mal sauge ich die vorbeiziehenden Bilder ein, damit sie sich in mein Gedächtnis einbrennen. So hart es ist, hier zu überleben, so unbeschreiblich schön empfinde ich die Landschaft und ihre Bewohner. Wenn man einmal hier war, ist man von diesem Zauber gefangen.

Unsere Wagen schlängeln sich über die maroden Straßen in Richtung Wamba. Nach etwa drei Stunden erreichen wir das Dorf und steuern direkt auf das Hospital zu. Ich erwarte nicht, dass man mich hier noch kennt, zumal ich von Pater Giuliani erfahren habe, dass vor kurzem ein indischer Orden das Krankenhaus übernommen hat und die letzten italienischen Schwestern vor drei Monaten weggegangen sind. Eigentlich schade.

Wir begeben uns auf die Suche nach jemandem, der es mir ermöglicht, meine Erinnerungen aufzufrischen. Am Empfang erklären wir unser Anliegen. Die indischen Frauen sind erfreut, glauben aber zunächst, wir seien vom Filmteam, das sie erst am nächsten Tag erwarten. Als ich ihnen erkläre, dass ich diejenige bin, die vor fünfzehn Jahren wirklich hier war und morgen »nur« mein Leben nachgedreht wird, sind sie sofort bereit, uns die einzelnen Stationen zu zeigen.

Die stellvertretende Leiterin des Hospitals begleitet uns persönlich. Vieles ist noch wie damals, wenn auch in einem weit besseren Zustand. Mir fällt auf, dass erstaunlich wenige kranke Menschen zu sehen sind. Früher standen sie in Kolonnen vor der Aufnahme und die Zimmer waren voll belegt. Auch ich saß mit meinem Baby manchmal vier oder fünf

Stunden in der Aufnahme, bevor wir zum Impfen an die Reihe kamen.

Wir gehen die Gänge entlang und stehen bald vor dem Zimmer, in dem ich mit meiner damaligen, ebenfalls hochschwangeren Freundin Sophia lag. Der Raum ist zur Zeit nicht belegt und so darf ich eintreten.

Unglaublich! Alles sieht noch so aus wie vor fünfzehn Jahren. Sogar die gleiche dünne blauweiße Decke liegt über der Matratze auf dem Eisenbettgestell. Stellenweise blättert Putz von den Wänden. Neben den beiden Betten stehen noch dieselben Metallschränkchen. Bei ihrem Anblick erinnere ich mich an das Gekrabbel von Kakerlaken. Als ich einmal in der Schublade Essbares aufbewahrt hatte, wurden die Tierchen nachts aktiv und wollten auch davon profitieren. Zuerst hörte ich nur ein Kratzen auf dem Metall und wusste nicht, was es zu bedeuten hatte. Im Lichtkegel meiner Taschenlampe sah ich mit Entsetzen, wie sich die schwarzen Tierchen selbst in die kleinsten Ritzen verdrückten.

Ich setze mich auf »mein« Bett und mich überkommt ein Glücksgefühl. Hier saß ich stundenlang und habe gestrickt. Ich, die in der Schule nie stricken wollte, habe hier die ersten Kleidchen für mein werdendes Kind gefertigt. Hier wartete ich fast zwei Wochen ungeduldig auf die Geburt. Vorbereitungen konnte ich keine treffen, da es so etwas wie Schwangerschaftsgymnastik oder ähnliche Vorbereitungskurse nicht gab. Informationen, wie ein Geburtsvorgang verläuft, hatte ich ebenfalls keine, da ich mich mit meiner Schwiegermutter, die bei den Samburu normalerweise die diesbezügliche Unterweisung übernimmt, nicht besprechen konnte. Ich redete mir einfach ein, dass täglich viele junge Mädchen Kinder bekommen, da würde ich das als 29-Jährige ja wohl auch hinbekommen.

Aber nicht nur schöne Erinnerungen verbinden sich mit diesem Raum. Hier lag ich mit schwerer Malaria und war links und rechts an Infusionen angeschlossen. Die eine Flasche enthielt Blut, die andere wahrscheinlich eine Kochsalzlösung. Im

Spital von Wamba habe ich so manches erlebt und habe überlebt und empfinde es im Moment wie ein Wunder, dass ich heute, fünfzehn Jahre später, so wohlgenährt und vollkommen gesund auf demselben Bett sitze.

Wir werden weitergeführt zur Isolationsabteilung, die ich auch sehr gut von innen kenne. Sie wird gerade umgebaut, so dass die Räume nicht zu besichtigen sind. Die gesamte Abteilung sei verlegt worden, erfahren wir. Ich zeige Albert und Klaus, wo ich fünf Wochen in Isolation verbrachte und bei den täglichen Besuchszeiten von zahlreichen unbekannten Besuchern durch eine Scheibe beäugt wurde. Nur allzu gut erinnere ich mich an diese furchtbar einsame Zeit. Keine Menschenlaute, kein Vogelzwitschern, kein einziges Geräusch drang damals in meine Zelle. Dennoch wurde ich gesund.

Wir gehen langsam zurück und ich frage unsere Begleiterin, welche Krankheiten heute am häufigsten behandelt werden. Die Schwester antwortet: »Verbrennungen und Komplikationen bei Geburten, verursacht durch die Beschneidung. Fast täglich sehe ich, welch schlimme Folgen Beschneidungen haben können. Selbst wenn sie nicht sofort eintreten, spätestens bei der ersten Geburt kommt es bei den meisten zu Problemen. Wenn die Mädchen verheiratet werden, sind sie manchmal kaum älter als zehn Jahre und bei der Entbindung dementsprechend zwölf oder dreizehn. In diesem Alter ist eine Geburt ohnehin gefährlich und dann kommt hinzu, dass die Vagina häufig völlig vernarbt und unelastisch ist. Einige junge Mädchen sterben oder behalten lebenslange Verletzungen zurück. Viele können ihr Harnwasser nicht mehr kontrollieren und werden deshalb von der Familie des Ehemannes verstoßen. Derart traurige Schicksale begegnen uns täglich. Obwohl die Beschneidung laut Gesetz in Kenia verboten ist, glaube ich, dass es noch lange dauern wird, bis diese Verstümmelung ein Ende hat, vor allem im Busch draußen, wo niemand kontrolliert und die Mädchen keine Rechte haben. Solange dort der Brauch besteht, dass die Mädchen nur jung und nur nach der Beschneidung geheiratet werden, fruchtet die Aufklärung nur langsam. In den Städten ist es schon besser. Besonders schlimm aber ist es, wenn ein unbeschnittenes, also noch unverheiratetes Mädchen schwanger wird. Dann wird alles versucht, das Kind abzutreiben. Die fürchterlichsten Methoden werden dabei angewandt, unter anderem flößen sie den Mädchen ein Gebräu aus Kautabak ein.«

Das also ist der Grund, warum beim Abschiedsfest in Barsaloi alle so aufgeregt waren, als ich den Kautabak im Mund hatte.

»Wenn alles nichts hilft«, fährt die Schwester fort, »wird das Mädchen trotz Schwangerschaft beschnitten. Der immense Blutverlust und die klaffende Wunde mit der meist anschließenden Infektion führen zum Abgang des Ungeborenen und manchmal sogar zum Tod der Mutter. Ich selbst bin halb Samburu und halb Kikuyu und wurde Gott sei Dank nicht mehr beschnitten.«

Albert fragt sie nach dem Grund für dieses in unseren Augen grausame Ritual. Die Schwester erwidert, dass es sehr schwer sei, eine umfassende Antwort darauf zu geben. Eine Ursache sei sicher die Kraft der Tradition. Darüber hinaus glaube sie, dass die Männer annehmen, ihre Frauen würden durch die Beschneidung das Interesse an anderen Männern verlieren und dadurch folgsamer und kontrollierbarer sein. Hier müsse noch viel Aufklärungsarbeit geleistet werden und sie könne nur hoffen, dass es einmal besser wird. Die Tatsache, dass bei den Samburu im Gegensatz zu anderen Stämmen und Ländern nicht die schlimmste Form der Beschneidung durchgeführt wird, ist für mich in diesem Zusammenhang nur ein schwacher Trost.

Ich denke an James, mit dem wir vor einigen Tagen, als wir einmal allein mit ihm waren, über dieses Thema geredet haben. Albert hatte ihn darauf angesprochen. Wir erfuhren von ihm, dass sich trotz der vielen Veränderungen in den letzten vierzehn Jahren bei der Beschneidung der Mädchen wenig getan hat. Auf die Frage, wie er selber dazu steht, antwortete er: »Das ist sehr schwer aus den Köpfen zu vertreiben, denn es ist eine tief verwurzelte Tradition. Ein Mädchen wird erst durch diesen Eingriff zu einer vollwertigen Frau. Das ist schon immer so gewesen und wird sicher auch noch lange so bleiben.«

Wir wollten von ihm wissen, ob denn in der Schule keine Aufklärung betrieben würde. »Ja«, erwiderte er, »aber es nützt nichts. Selbst wenn ein Mann ein unbeschnittenes Mädchen heiraten möchte, wird es ihr eigener Vater kaum zulassen, das kommt ganz selten vor.« Als ich ihn direkt fragte, was er denn mit seinen Mädchen machen werde, merkte ich, dass er sich bei diesem Gespräch nicht wohl fühlte. Auch Stefania, seine Frau, wurde beschnitten, obwohl sie gebildet ist. James erklärte: »Wenn meine Mädchen einen Ehemann finden, der nicht auf einer Beschneidung besteht, dann geht das für mich in Ordnung, aber es wird schwer sein, einen solchen zu finden.«

Bis zum Ende unserer Unterhaltung war nicht klar herauszuhören, wer bei seiner Ehefrau auf der Verstümmelung bestanden hat: James oder ihr Vater. Doch mussten wir respektieren, dass ihm das Thema nicht behagte. Es war ihm wohl auch zu intim.

Ich erinnere mich an Lketingas Reaktion, als ich ihm damals erklärte, was diese »Operation« bei den Mädchen anrichten kann. Er war völlig irritiert und konnte kaum glauben, was ich ihm erzählte. Selbst er fragte sich danach, warum dann so etwas verlangt und durchgeführt wird. Doch leider haben Einzelne wohl keine Möglichkeit, sich gegen diesen uralten Brauch zu stellen. Ich bin sicher, dass seine neue Frau ebenfalls beschnitten wurde.

Betroffen über das Gehörte, gehen wir langsam zum Ausgang. Wir bedanken uns herzlich für den Rundgang und verabschieden uns. Bevor ich ins Auto steige, drehe ich mich noch einmal um und kann es irgendwie nicht fassen, dass mein »schweizerisches« Mädchen hier vor fünfzehn Jahren das Licht der Welt erblickte. Es kommt mir fast unwirklich vor.

Morgen wird das Filmteam hier sein und Nina bekommt ihr Filmkind. Werden sie ihr auch den Mund zuhalten, damit man ihr Schreien nicht hört?

Rückreise nach Nairobi

Wir verlassen Wamba und fahren weiter in Richtung Isiolo. Nach einigen Kilometern überqueren wir auf einer abenteuerlichen Brücke ohne Seitengeländer einen reißenden Fluss. Hier sieht man, was der Regen in den Bergen ausgelöst hat. Rotbraunes Wasser, so weit das Auge reicht, dazwischen vereinzelte Daumpalmen. Von den hier normalerweise lebenden Krokodilen ist nichts zu sehen. Der Himmel ist grau und verhangen. Bald wird es wieder regnen. Allmählich wird die Straße etwas besser, schließlich fahren wir der »Zivilisation« entgegen.

Nach etwa zwei Stunden erreichen wir ein Dörfchen, das aus ein paar Bretterbuden, Shops und zwei oder drei Lokalen besteht. Eine gute Gelegenheit, eine kleine Teepause einzulegen. Als Weiße werden wir sofort in einen eigenen Bereich geführt. In einem Hinterhofzimmer sitzen wir auf verschlissenen Sofas, auf denen weiße Spitzendecken drapiert sind. Die ansonsten kargen Wände sind mit kunstvollen Tiermotiven bemalt. Alles ist mit einfachsten Mitteln etwas »vornehmer« gestaltet. Der bestellte Chai schmeckt gut, wenn auch nicht so wie der in Mamas Manyatta. Nachdem wir uns mit Keksen gestärkt haben, geht die Fahrt weiter.

Immer häufiger kommen uns nun Safaribusse entgegen, die durch die regenverhangene Gegend schaukeln. Ab und an erkenne ich Holzschilder mit den exotischen Namen bekannter Touristen-Lodges.

Nachdem wir das Samburugebiet verlassen haben, ändert sich die Vegetation und das Aussehen der Menschen. Hier wird viel mehr Landwirtschaft betrieben. Die Frauen tragen

Körbe mit Gemüse und Früchten auf ihren Köpfen. Von den farbenfrohen Kangas der Samburu ist nichts mehr zu sehen, denn die meisten sind eher europäisch gekleidet.

Am späten Nachmittag erreichen wir Isiolo und entscheiden uns, hier zu übernachten. Im Dunkeln auf den maroden Straßen weiterzufahren wäre enorm anstrengend und außerdem gefährlich. Isiolo ist eine eher hässliche und schmutzige Kleinstadt. Mir fällt auf, dass im Gegensatz zu früher viel mehr Muslime hier leben. Unser Fahrer erklärt, dass die Stadt praktisch zweigeteilt ist. In der einen Hälfte leben Christen, in der anderen Muslime, meist somalischer Abstammung.

Wir beziehen ein »gehobenes« einheimisches Lodging und treffen uns etwas später zum gemeinsamen Abendessen. Da wir nach dem Essen keine Lust verspüren, durch die düsteren und schmutzigen Straßen zu spazieren, genießen wir auf einer Art Dachterrasse des Hotels die Abendluft. Das Hotel scheint ein Treffpunkt der Wohlhabenden und »Mächtigen« der Stadt zu sein. Die meist fülligen Männer tragen moderne Anzüge und ihre vollschlanken Frauen entweder afrikanische Mode oder europäische Kleidung in Extragröße. Das Leben wirkt viel moderner und hektischer als in Maralal und Barsaloi. Mir gefällt es hier nicht und ich bin froh, als wir am nächsten Morgen nach Nairobi weiterfahren.

Je näher wir der Hauptstadt kommen, desto stärker nimmt der Verkehr zu. Autos und Menschen, wohin man schaut. Nach der Ruhe im Busch kommt mir Nairobi furchtbar hektisch und laut vor. Ich empfinde es jetzt viel extremer als bei unserer Ankunft aus Europa. Ich kann kaum glauben, dass das erst vierzehn Tage her ist. Wir haben in den letzten zwei Wochen so viel Beeindruckendes erlebt, dass es mir viel länger vorkommt.

Wir bringen die gemieteten Land Cruiser zum Safariunternehmen zurück und bedanken uns ganz besonders bei unseren Fahrern Francis und John für den perfekten Service.

Wenn auch der wichtigste Teil der Reise nun abgeschlossen ist, so zieht es mich doch noch nach Mombasa, denn ich habe das Bedürfnis, den Kreis zu schließen und noch einmal den Ort aufzusuchen, wo vor achtzehn Jahren alles begann.

Klaus bietet uns gastfreundlich seine Wohnung als Quartier an. Gemeinsam mit seiner zukünftigen Frau Irene lebt er seit zwei Jahren in Nairobi. Da Alberts Flug bereits heute Nacht zurück nach München geht, versuchen wir, Pater Giuliani zu erreichen. Die Freude ist groß, als wir erfahren, dass er tatsächlich noch hier in der Nähe weilt. Wir verabreden uns für den Abend in einem italienischen Restaurant. Irgendwie kann ich ihn mir hier in Nairobi in der »Zivilisation« schwer vorstellen. Er ist ein Einsiedler und Eigenbrötler, alles andere als ein Stadtmensch.

Klaus wohnt in einer ruhigen Gegend, die sich nur etwas wohlhabendere Leute leisten können. Die Wohnblocks sind mit Mauern und Stacheldraht umgeben. Hinein kommt hier nur, wer den beiden Wachleuten bekannt ist. Im Gebäudetrakt befinden sich außerdem ein Fitnesscenter, ein Restaurant und ein Schönheitssalon. Die Vorstellung, erst Wachmänner passieren zu müssen, bevor ich in ein Fitnesscenter gehen könnte, erscheint mir äußerst merkwürdig. Später stelle ich fest, dass sogar ganz normale Restaurants eingezäunt und bewacht sind. Früher waren nur Villen in dieser Form abgesichert. Nairobi scheint noch viel gefährlicher geworden zu sein, als es zu meiner Zeit ohnehin schon war. Niemand läuft abends zum fünf Minuten entfernten Restaurant. Wer es sich leisten kann, fährt jeden Meter im geschlossenen Wagen.

Solch ein Leben würde ich nicht führen wollen. Man ist der Sklave seines Besitzes. Da lebte ich doch lieber in Barsaloi, sozusagen unter freiem Himmel, besaß fast nichts und musste deshalb auch nichts bewachen lassen. Geschützt haben wir uns nicht vor Räubern, sondern vor Löwen und Hyänen.

Als wir zum vereinbarten Zeitpunkt beim Lokal eintreffen, erleben wir, wie Giuliani gerade auf einem Motorrad angebraust kommt. Sein Helm könnte aus der Vorkriegszeit stammen und zum ersten Mal sehe ich ihn in »normaler« Kleidung: lange Hosen, Pullover und geschlossene Schuhe!

Da sich in unserer Begleitung ein älteres englisches Paar befindet, das in der kenianischen Filmindustrie eine wichtige Rolle spielt, bleibt es nicht aus, dass wir bald über das Filmprojekt »Die weiße Massai« reden. Pater Giuliani ist interessiert, wer seine Rolle im Film spielt. Lachend und mit erhobenem Zeigefinger droht er: »Wehe, der Typ entspricht mir nicht oder ihr verdreht Tatsachen, dann finde ich euch überall auf der Welt!« Alle brechen in lautes Gelächter aus. Mit dem Namen des Schauspielers kann er nicht viel anfangen. Wie auch! Er besitzt seit Jahrzehnten keinen Fernseher und hätte dort, wo er lebt, auch keinen Empfang. Also muss er warten, bis der Film auf Video erhältlich ist. Vielleicht aber gibt es in einem Kino in Nairobi eine Kenia-Premiere, das wäre ja möglich. Er und James wären wahrscheinlich gerne dabei, bei Lketinga bin ich mir allerdings nicht so sicher.

Leider vergehen die zwei Stunden viel zu schnell und wir müssen zum Flughafen aufbrechen, um Albert zu verabschieden. Am Flughafen überkommt mich Heimweh nach meiner Tochter. Ich vermisse sie sehr. Aber es gibt noch einige Orte und Menschen, die ich auf meiner »Reise in die Vergangenheit« unbedingt aufsuchen möchte.

Flying Doctors

Als Erstes steht der Besuch bei der Hilfsorganisation AMREF auf dem Programm. Den Flying Doctors verdanken außer mir noch unzählige andere Menschen in Afrika ihr Leben. Darüber hinaus bemüht sich die Organisation seit fast fünfzig Jahren durch eine Vielzahl von Aktivitäten und konkreten Projekten einen flächendeckenden Basisgesundheitsdienst zu ermöglichen. Mit meinem Besuch möchte ich mich nicht nur nach über fünfzehn Jahren direkt vor Ort für meine Rettung bedanken, sondern auch dazu beitragen, dass möglichst viele Menschen von der hervorragenden Arbeit von AMREF erfahren.

Als Klaus und ich am nächsten Morgen dort eintreffen, werden wir freundlich und erwartungsvoll begrüßt. Einige fragen mich, wann denn endlich meine Geschichte in englischer Sprache erscheint. Ich bin froh, mitteilen zu können, dass endlich ein englischer Verlag gefunden wurde, der das Buch 2005 herausbringen will. Wir werden zum Büro der Leiterin des Flugdienstes begleitet. Bei dem anschließenden Gespräch staune ich, was diese Organisation in ganz Afrika auf die Beine gestellt hat.

Ursprünglich bekannt geworden sind sie eigentlich durch die »Flying Doctors«. Man weiß, dass ihre Piloten in die entlegensten Buschregionen fliegen können. So wurde auch ich damals in letzter Minute mit einem ihrer Flugzeuge von Barsaloi nach Wamba gebracht.

Hier in Nairobi haben sie unter anderem in dem größten Slumgebiet ein Krankenhaus aufgebaut und saubere Wasserstellen und Toiletten errichtet. Das Angebot, ihre Arbeit vor Ort zu besichtigen, nehme ich gerne an. Wir vereinbaren einen Termin für den nächsten Tag. Einen Besuch in den Slums, wo die Ärmsten der Armen leben, müsse allerdings gut vorbereitet werden. Als Weißer dort einfach herumzuspazieren, sei nicht empfehlenswert. Raub, Totschlag und Mord seien an der Tagesordnung. Für die Besichtigung müsse ein speziell gekennzeichneter Wagen mit einem Fahrer, der sich auskennt, organisiert werden. Außerdem müsse das Hospital zuvor informiert werden.

Unserer Bitte, den Hangar aufzusuchen, damit Klaus ein Erinnerungsfoto von mir mit meinem Rettungsflugzeug machen kann, steht nichts entgegen. Auf dem Weg dorthin schließt sich uns die Frau an, die uns morgen in den Kibera-Slum begleiten wird. Zu viert gehen wir zum Hangar. Leider steht in der Halle nur eine große Maschine, da die kleinen alle im Einsatz sind. Doch als wir auf das Rollfeld schauen, entdecken wir etwas abseits ein kleines Flugzeug, das dem ähnelt, mit dem ich damals todkrank aus dem Busch geholt wurde. Klaus als Profi sieht natürlich sofort, dass dort das Licht für Film und Fotos wesentlich besser wäre. Das Flugzeug steht etwa zwanzig Schritte von uns entfernt. Allerdings ist es verboten, das Rollfeld zu betreten. Außer von AMREF wird der kleine Wilson-Flughafen auch von den Sportmaschinen der Safariunternehmen und von Privatfliegern genutzt.

Da momentan kein Betrieb herrscht, fragen die AMREF-Frauen einen Polizisten, der sich in der Nähe aufhält, ob wir fünf Minuten neben dem Flugzeug filmen und fotografieren dürften. Normalerweise bräuchte man hierfür eine offizielle Erlaubnis, die man nach einer schriftlichen Antragstellung frühestens in zwei, drei Tagen erhalten würde. Der gefragte Polizist lacht und sagt schließlich: »Okay, you can go there.«

Nichts ahnend schlendern wir zu dem kleinen Rettungsflugzeug und die Leiterin des Flugdienstes erklärt mir die Neuerungen, während Klaus uns ablichtet. Nicht weit von uns entfernt liegen ein paar Arbeiter im Schatten eines anderen Kleinflugzeuges und dösen ihren Mittagsschlaf. Doch die trügerische Ruhe wird bald unterbrochen, als ein gewichtiger Mann wütend auf uns zustürmt. Eine der AMREF-Mitarbeiterinnen sagt leise: »Oh, jetzt kriegen wir Probleme. Das ist der Sicherheitschef hier.«

Gebieterisch werden wir angehalten, mit dem Filmen aufzuhören und Auskunft zu geben. Die beiden Frauen erklären die Situation und zeigen ihre Ausweise und Visitenkarten, was den Mann in keinster Weise beeindruckt. Er ist nicht interessiert an Visitenkarten von Frauen und besteht auf der Vorschrift, dass das Rollfeld nicht betreten werden darf und Fotos und Filme nur mit schriftlicher Genehmigung zugelassen sind. Ob mit oder ohne Betrieb auf dem Rollfeld, ob später für einen guten Zweck oder nicht, interessiert ihn ebenfalls nicht.

Er hört sich nicht einmal an, was wir ihm erklären wollen, sondern klärt uns auf, dass er ermächtigt sei, uns alle für mehrere Jahre ins Gefängnis zu bringen.

Ich glaube, mich verhört zu haben! Weit und breit ist kein anderes Flugzeug zu sehen. Wir sind zwanzig Schritte neben dem Hangar. Vorschrift ist zwar Vorschrift, aber dennoch kann das hier wohl nicht Gefängnis für mehrere Jahre bedeuten! Die beiden Frauen versuchen Ruhe zu bewahren und reden auf den Sicherheitschef ein. Auch der Polizist, der uns seine Einwilligung gab, wird verhört, aber für nicht zuständig erklärt. Mittlerweile stehen wir mindestens eine halbe Stunde in brütender Hitze auf dem Asphaltplatz und die Argumente sind uns ausgegangen. Wir wissen einfach nicht, was er will. Geld kassieren oder seine Macht demonstrieren? Offensichtlich ist er gekränkt und wütend. Andere Männer gesellen sich neugierig hinzu und es wird wieder diskutiert. Alle starren uns an und wir kommen uns langsam wie Schwerverbrecher vor. Es ist der reinste Hohn. Wir wollen etwas dokumentieren, um in Zukunft wirksamer helfen zu können, und ein übergangener Chefbeamter überlegt, ob er uns verhaften lassen soll.

Plötzlich hat eine der AMREF-Frauen eine Idee. Sie erklärt, sie sei mit einem Botschafter in der Stadt zum Lunch verabredet und könne diesen Termin nun nicht mehr wahrnehmen. Sie müsse diesen Herren unbedingt informieren, da es sich immerhin um einen Botschafter handelt. Tatsächlich darf sie telefonieren, ruft aber stattdessen ihren Chef an. Ein ranghoher Mann muss her! Kurz darauf steht er vor uns und fragt verwundert, welche Probleme hier entstanden seien. Der Sicherheitschef schildert aufgebracht unser »Vergehen«. Wieder wird diskutiert, doch sehr bald ändert sich der Ton und ganz unvermittelt können wir gehen – einfach so. Wir wissen nicht, was ausschlaggebend war und fragen auch nicht nach. Hauptsache, uns bleibt ein afrikanisches Gefängnis erspart!

Nach diesem Schrecken verlassen wir schnellstmöglich das Gebäude und suchen als Erstes ein Restaurant auf, um unseren

Durst zu löschen. Natürlich liefert dieses Ereignis den Gesprächsstoff für den Rest des Tages.

Im Kibera-Slum

Am nächsten Morgen begeben wir uns wie verabredet ins AMREF-Büro. Alles steht bereit und wir brechen sofort auf. Schon bald nähern wir uns dem durch die Wellblechdächer von weitem erkennbaren Slumgebiet. Wir erfahren von unserer Begleiterin, dass dies der größte der zahlreichen Slums in Nairobi ist. Sechzig Prozent der Bevölkerung von Nairobi lebt in solchen Verhältnissen. Allein hier in Kibera leben ungefähr 700.000 Menschen auf engstem Raum. Die Aids-Rate ist erschreckend hoch und Krankheiten wie Tuberkulose breiten sich enorm schnell aus, da besonders die hygienische Situation katastrophal ist. 400 Menschen teilen sich eine einzige Toilette! AMREF habe eine beträchtliche Anzahl von öffentlichen sanitären Anlagen bauen lassen, deren Benützung eine geringe Gebühr koste, die für die Reinigung verwendet werde. Dadurch sei nun schon einiges besser geworden. Vorher habe man ohne Kopfschutz nicht durch diese Gegend laufen können, da alle Menschen ihre Notdurft in Plastikbeutel erledigten und diese einfach aus den beengten Räumen nach draußen warfen. »Flying toilets« würden diese durch die Luft segelnden Kotbeutel hier genannt. Klaus und ich schauen uns entsetzt und angeekelt an.

Wir rollen langsam einen engen Weg entlang. Links und rechts stehen aus Brettern zusammengenagelte Verkaufsstände. Ich sehe Kleider, Taschen, Haushaltsartikel, nagelneue Radios in rauen Mengen. Jeder scheint hier etwas verhökern zu wollen. Dicht gedrängt quetscht sich ein unaufhörlicher Strom von Menschen an unserem Auto vorbei. Irgendwie fühle ich mich unwohl, als Weiße mit dem Wagen durch dieses Revier zu drängeln. Doch der Fahrer beruhigt mich: »Unser Wagen ist gekennzeichnet und so wissen die Bewohner, dass es sich um Leute handelt, die sich für das Hilfswerk interessieren und eventuell Unterstützung leisten werden.«

Er hält an und wir steigen aus. Ein Junge aus der Menge mit einigen Zahnlücken bekommt den Auftrag, auf den Wagen aufzupassen. Dafür verdient er sich ein paar Schillinge. Einen Moment lang würgt mich der penetrante Gestank. Es ist drückend heiß. Männer, Frauen, Kinder und Müllberge, wohin ich schaue. Die ganze »Stadt« besteht aus Bretterbuden und Wellblech. Wir springen über Abfall und überqueren eine Bahnlinie, die in nur etwa zwei Metern Abstand an den Holzständen vorbeiläuft. Momentan tummeln sich Kinder und dürre Ziegen auf den Gleisen. Immer wieder steigen wir über stinkende Abwasserrinnen. Unsere Begleiterin erklärt, dass wir Glück mit dem Wetter hätten. Sobald die Regenzeit beginne, würden sich der Schlamm und die Kloake zu einem knöcheltiefen Morast verbinden und der Gestank sei nicht mehr auszuhalten. Hühner picken in den feuchten, verschmutzten Rinnen. Diese Eier möchte ich nicht essen, geht es mir kurz durch den Kopf. Überall ertönt hinter irgendwelchen Bretterwänden Musik.

Die Menschen mustern uns misstrauisch mit verschlossenen Gesichtern. Nur die Kinder sind neugierig und eine fröhliche Schar schließt sich uns an. Zu meinem Erstaunen tragen einige hübsche blaue Kleidchen. Dies sei ihre Schuluniform, erfahren wir, denn sie haben hier sogar eine Schule gebaut. Andere Kinder stecken in zerfetzten T-Shirts und stehen barfuß in Staub und Dreck. Viele sind schmutzig und mit Pusteln oder Flecken übersät. Doch sie strahlen uns an und rufen: »Hello, Mzungu, how are you?« Manchen schüttle ich die kleine Hand und frage nach ihren Namen, worauf sie jedoch recht schüchtern reagieren.

Wir stapfen an neu erbauten Toiletten vorbei und gelangen zu einer Wasserzapfstelle. Hier wird das Wasser gefiltert und ist deshalb fast bakterienfrei. Jeder kann sich sauberes Trinkwasser aus dem Hahn abfüllen. Seit es diese öffentliche Wasserstelle gebe, seien vor allem die Durchfallerkrankungen deutlich zurückgegangen. Angrenzend an einen großen, leeren Platz befindet sich das Hospital von AMREF. In der Eingangshalle warten Kranke auf ihre Behandlung.

Wir werden in die obere Etage geführt und verschiedenen Hilfskräften vorgestellt. Hier arbeitet in erster Linie einheimisches Personal. Ein älterer hagerer Mann übernimmt das Gespräch und schildert den schwierigen Aufbau dieser Station. Auch für Hilfsorganisationen sei es nicht einfach, in den Slums Fuß zu fassen. Die Menschen seien misstrauisch, da sie häufig durch leere Versprechungen enttäuscht wurden. Mittlerweile jedoch sei das Hospital gut besucht und immer mehr Frauen würden sich sogar für Geburten anmelden, was ein riesiger Fortschritt sei. AMREF bilde auch einheimische Pflegekräfte aus, die aus dieser Gegend stammen, womit wiederum vielen geholfen wird. Beeindruckt von dem, was wir erfahren, und voller Bewunderung für die Menschen, die sich hier für die Schwachen und Armen engagieren, verlassen wir nach einer Stunde das Gebäude.

Draußen treffen wir auf eine Gruppe von Jugendlichen, die nach der Schule für AMREF arbeiten. Sie erzählen uns, dass sie für eine Art Meldedienst zuständig sind. Sie streifen durch die Gegend, die sie wie ihre Hosentasche kennen, und beobachten, wo etwas passiert. Gibt es Schwerverletzte, melden sie es sofort dem Krankenhaus, damit rechtzeitig Hilfe kommt. Normalerweise nämlich zählt hier ein Menschenleben nicht viel.

Auf dem Rückweg zum Auto sehe ich eine Schweinemama mit ihren Jungen, die sich durch den Abfall einer nahe gelegenen Müllhalde wühlen. Zwei Meter neben mir pinkelt ein Mann an die Bretter. Einige Meter weiter hat sich eine alte Frau unter einen Unterstand gesetzt und brät auf offenem Feuer in einer Pfanne Fisch. Etwa fünfzig ungebratene Fische liegen in Reih und Glied auf einem Bretterstand, der von Tausenden von Fliegen umschwirrt wird. So viele Fliegen habe ich selbst in der schlimmsten Manyattazeit nicht erlebt. Der schwarze Fliegenschwarm überdeckt die Fische fast gänzlich. Mich würgt es bei der Vorstellung, dass diese Fische zum Essen angeboten werden, und dies bei etwa 35 Grad! Es stinkt fürchterlich. Die alte, fast zahnlose Frau lacht, als sie offensichtlich mein Entsetzen wahrnimmt, und wedelt mit dem Karton weiter, damit das Feuer seine Hitze behält. Ein paar Schritte weiter verkauft ein Mann fünf Maiskolben, die er zuvor gegrillt hat. Ich bin schockiert, aber gleichzeitig auch fasziniert zu sehen, welche Energie diese Menschen aufbringen, um zu überleben. Es wird nicht gejammert, sondern jeder versucht, irgendwie zu handeln.

Wieder bei den Bahngleisen angelangt, entschließe ich mich, hier bei einer der Frauen eine Reisetasche zu kaufen. Freudig zeigt sie mir ihre Auswahl. Natürlich sind alle staubig, da sie den ganzen Tag an den Holzgestellen hängen. Während ich mir überlege, welche ich nehmen soll, braust ein Güterzug heran. Die Menschen verlassen gemächlich die Schienen. Ich drücke mich so gut es geht an den Stand. Die Druckluft wirbelt den Staub ins Gesicht und auf die Waren. Nach einigen Sekunden ist der Spuk vorbei und die Frauen schütteln die Kleider am Stand sauber. Mein Gott, und so stehen sie den ganzen Tag ein Leben lang! Einmal mehr wird mir bewusst, wie privilegiert wir in der Schweiz leben. Ich bezahle die ausgesuchte Tasche und langsam begeben wir uns zum Auto. Der Wagen quetscht sich wieder durch die engen Gässchen. Von überall ertönen Musik und Stimmengewirr. Viele Augenpaare verfolgen das Fahrzeug. Ganz wohl kann einem dabei einfach nicht sein.

Auf der Rückfahrt vergleiche ich in Gedanken dieses Dasein mit dem Leben meiner Familie in Barsaloi. Dort kennen sie zwar auch keinen Wohlstand in unserem Sinne, aber sie haben ein weites Land um sich und einen hohen Himmel über sich. Ihre Lebensweise ist einfach und karg, jedoch alles andere als armselig. Hier in den Slums dagegen leben wirklich die Ärmsten der Armen. Die meisten kamen ursprünglich aus einer ländlichen Umgebung in der Hoffnung, das Überleben in der Stadt sei einfacher. Doch wer hier im Slum gelandet ist, schafft es wohl kaum mehr hinaus.

Zurück bei Klaus und Irene, habe ich das dringende Bedürfnis, lange und ausgiebig zu duschen. Trotzdem bringe ich die Bilder aus dem Kibera-Slum auch Stunden später nicht aus meinem Kopf. Abends will ich auch nicht in eines der teureren Restaurants gehen, in denen ein Essen so viel kostet wie unzählige Menschen im ganzen Monat verdienen. So zeigen mir Klaus und seine Freundin ein einfaches Somali-Restaurant, das fast ausschließlich von Einheimischen besucht wird. Mir gefällt es sofort und so wird es doch noch ein gemütlicher, ruhiger Abend, wenngleich auf Grund der Eindrücke des Tages nicht so heiter wie sonst.

Mzungu Massai

Tags darauf fahren wir zur berüchtigten River Road, um noch einmal das Iqbal aufzusuchen, jenes einfache Hotel, in dem ich mich meistens einquartiert hatte, wenn ich in Nairobi war. Hier wurde ich immer mit einem fröhlichen »Mzungu Massai« begrüßt, das mich Jahre später zum Titel meines ersten Buches inspirierte. Dass am Leben dieses »weißen Massai« einmal Millionen von Menschen Anteil nehmen würden, hätte ich mir damals jedoch selbst in meinen kühnsten Träumen nicht vorstellen können. Auf dem Weg zum Iqbal kommen wir an dem mir so sehr verhassten Nyayo-Gebäude vorbei. Wie viele Male musste ich hierher und stundenlang verzweifelt warten, hoffen und beten. Wofür ich immer wieder irgendeinen Stempel benötigte, habe ich fast schon vergessen. Ich weiß nur, dass die

Bürokraten in diesem Gebäude mich unendlich viel Energie und Nerven kosteten.

Wir finden eine Parklücke und ein Junge bietet sich an, auf unseren Wagen aufzupassen. Als Erstes schlendern wir am berühmten Stanley-Hotel vorbei. Waren dort früher fast ausschließlich Weiße auf der Terrasse zu sehen, so sind die Gäste heute gemischt, wobei die Kenianer in der Mehrheit sind. Ich lasse mich durch die Menschenmassen treiben und die Eindrücke auf mich wirken. Der Zeitungsstand steht noch an derselben Ecke wie damals, nur ist das Sortiment um das Fünffache angewachsen. Wir laufen einige Querstraßen entlang, bis ich das Odeon-Cinema entdecke und weiß, dass das Iqbal Lodging nur noch wenige Schritte entfernt sein kann. Sogar die Telefonzelle, so manches Mal genutzt, um mit der Schweiz in Verbindung zu treten, ist noch da. Nur steht heute keine Warteschlange davor, da auch hier in Nairobi die meisten Menschen mittlerweile Handys an ihre Ohren drücken.

Vergeblich suche ich den Eingang zum damals an das Hotel angegliederten Restaurant, so wie ich es in Erinnerung hatte. Dort, wo früher die Kasse und die Rezeption waren, kann ich lediglich eine Schnellimbissecke erkennen. Der große Essraum, in dem sich Rucksack-Touristen aus der ganzen Welt getroffen haben, existiert nicht mehr. Damit ist der Charme, der diesen Treffpunkt auszeichnete, verloren gegangen.

Meine Neugier ist schnell befriedigt und wir gehen weiter. Auf den Straßen herrscht hektischer Lärm. Überall hupen Matatus, jeder feilscht um Kundschaft. Aus den verschiedenen Bars oder Läden tönt Musik. An den Hauswänden sind überall Neonreklametafeln in den grellsten Farben angebracht. Ab und an stellt sich eine zerlumpte oder kranke Person mit hohlen Händen bettelnd vor mich hin. Nairobi ist hier besonders schrill, grell, hektisch und laut. Ich erinnere mich, wie ich mich mit meinem kleinen Baby am Rücken und mit schwer beladenen Reisetaschen durch diese Gegend schleppte. Jetzt scheint mir das alles nicht mehr vorstellbar.

Klaus macht den Vorschlag, noch einen Massai-Markt zu besuchen. Hellauf begeistert stimme ich zu, schließlich konnte ich vor vierzehn Jahren bei meiner Flucht keine Erinnerungsstücke mitnehmen. Das möchte ich nun gerne nachholen. Wir erreichen den Ort relativ rasch mit dem Auto. Der weitläufige Markt mit seinen farbenfrohen Waren und den schönen Menschen fasziniert mich sofort. Alles Mögliche wird angeboten: Kalebassen in jeder Größe und Form, Masken, geschnitzte Figuren, Bilder und farbiger Massai-Schmuck in allen Variationen. Es fällt mir nicht schwer, mein Geld auszugeben.

Am Abend habe ich große Lust, für meine Gastgeber zu kochen. So schön es ist, wenn man sich nicht immer ums Kochen kümmern muss, fehlt es mir mittlerweile, da ich in der Schweiz für meine Tochter und mich täglich mit Freude das Essen zubereite. So verbringen wir einen schönen Abend bei Klaus und Irene zu Hause. Bevor wir ins Bett gehen, besprechen wir noch unsere morgige Reise nach Mombasa, die letzte Station meines Keniaaufenthalts.

Mombasa

In Mombasa verlassen wir das Flugzeug und wieder schlägt mir wie damals warme, feuchte Tropenluft entgegen. Ich liebe diesen Meeresgeruch. Der Inlandsflug dauerte zwar nur kurz, doch hat man durch die komplett anderen Verhältnisse fast das Gefühl, in einem anderen Land zu sein. Klaus hat gut vorgearbeitet und so erwartet uns ein ihm bekannter Taxifahrer, der uns die nächsten eineinhalb Tage zur Verfügung steht. Viel Zeit bleibt mir also nicht, alte Erinnerungen aufzufrischen.

Wir fahren zuerst in die Altstadt, wo es viele Gemüse- und Obstmärkte gibt. Die zweitgrößte Stadt Kenias ist muslimisch geprägt. Neben schwarz verschleierten Frauen bewegen sich aber auch westlich gekleidete Afrikanerinnen. Der Lebensrhythmus ist hier bei weitem nicht so hektisch wie in Nairobi. Endlich kann ich wieder einmal zu Fuß unterwegs sein. Ich schlendere durch die Altstadt und sauge tief die würzige Luft ein, ein sattes Gemisch aus Meersalz, Früchten und Gewürzen. Die in Säcke gefüllten roten, orangenen, gelben und schwarzen Gewürzpulver sind ein Genuss für Augen und Nase. Auch die zahlreichen verschiedenen Früchte riechen so intensiv, wie wir es bei uns im Supermarkt nie erleben. Unentwegt werde ich aufgefordert, etwas zu probieren. Viele Frauen sitzen am Boden unter einem Schirm, der sie vor der brütenden Sonne schützt und bieten ihr Gemüse zum Verkauf an. Was würde wohl Mama sagen, wenn sie dies alles sehen könnte?

Ich schlendere zum Fort Jesus hinunter, eine von Portugiesen im Jahre 1593 erbaute Festungsanlage, und genieße die leichte Brise, die durch meine Kleider weht. Von weitem sehe ich die Likoni-Fähre, auf der mein afrikanisches Schicksal begonnen hat. Morgen werde ich sie wieder betreten. Heute ist es dafür schon zu spät und wir begeben uns für eine Nacht in ein Hotel etwas außerhalb von Mombasa.

Die Likoni-Fähre

Nach dem Frühstück holt uns der Fahrer ab. Leider regnet es immer wieder kurz und der Himmel ist verhangen. Wir fahren von der Nordküste in Richtung Mombasa und direkt zur Fähre. Autos und Laster stehen in einer langen Schlange und Hunderte von Menschen warten auf das Anlegen des Schiffes. Obwohl die Überfahrt nur ein paar Minuten dauert, herrscht hier immer reger Betrieb. Während ich das Anlegemanöver beobachte, stelle ich fest, dass diese Fähre um einiges größer ist als meine »Schicksalsfähre«. Dann lasse ich mich mit der Menschenmasse treiben.

Klaus und ich sind die einzigen Weißen unter den sicher 500 Personen, die sich auf der Fähre befinden. Wie vor achtzehn Jahren – auch damals waren mein Freund Marco und ich die einzigen Touristen an Deck. Ich steige auf das Oberdeck und mein Blick schweift über die Köpfe der unruhigen Menge hinweg auf das offene Meer. Versonnen muss ich daran denken, was die Überfahrt auf dieser Fähre alles ausgelöst hat. Wer hätte damals gedacht, dass dieses schicksalhafte Ereignis nicht nur mein eigenes Leben in völlig neue Bahnen lenken, sondern auch viele Menschen auf der ganzen Welt bewegen würde? Ich stehe an der Reling und staune über meine eigene Geschichte und den Weg, den sie genommen hat. Ich drehe mich um und blicke – welch eine Ironie – in die Augen eines sehr jungen Massai-Kriegers, der keine fünf Meter von uns entfernt steht. Er ist nicht so groß und schön, wie Lketinga es damals war. Dennoch ruft dieser überraschende Moment all meine Erinnerungen und Gefühle wach. Mein Herz beginnt schneller zu schlagen. Ich schließe die Augen und sehe mich, wie ich als 26-jährige, hübsche Frau auf Geheiß meines damaligen Freundes den Kopf drehte und direkt in die stolzen Augen meines späteren Ehemannes Lketinga sah. Groß, graziös, exotisch und unglaublich schön stand er da, sein Gesicht mit Ornamenten bemalt und mit Schmuck verziert, sein langes, rotes Haar zu feinen Zöpfen geflochten, sein nackter Oberkörper mit Perlenschnüren verziert. Sein Anblick verschlug mir den Atem und berauschte mich völlig.

Klaus reißt mich aus meinen Gedanken, als er mich fragt, ob ich den Massai hinter mir gesehen hätte. »Natürlich«, antworte ich lachend, »gut, dass du nicht Marco bist und unser junger Krieger hier nicht Lketinga ist!«

Kurz darauf legt die Fähre an und wir marschieren zu unserem Taxi, das uns zur Diani Küste bringt. Auf dem Weg zur Küstenstraße versuche ich, unseren ehemaligen Souvenirshop ausfindig zu machen, was sich allerdings etwas schwierig gestaltet, da sich alles verändert hat. Überall wurde gebaut. Wo früher Buschland war, sind heute Golfplätze, neue Hotelanlagen und Wohnsiedlungen.

Wir müssen die Straße drei Mal abfahren, bis ich endlich das weiße Gebäude erkenne. Doch zu meiner Enttäuschung befinden sich keine Läden mehr darin. Offensichtlich wurden die Räume zu Wohnungen umfunktioniert. Der ganze Komplex ist mit einem hohen Zaun abgesichert. Also gibt es hier nichts zu besichtigen. Ich weiß zwar nicht, was ich eigentlich erwartet habe, finde es aber schade, dass sich hier alles nahezu bis zur Unkenntlichkeit verändert hat.

Wir fahren weiter zum Africa-Sea-Lodge, dem Hotel, in dem ich wohnte, als ich das erste Mal – damals noch als Touristin – in Mombasa war. Eigentlich hatte ich die Hoffnung, vielleicht Priscilla am Strand zu finden. Mit ihr lebte ich in meiner ersten Mombasazeit ein paar Monate zusammen und sie hat mir viel geholfen. Von einigen Touristen hatte ich gehört, dass sie immer noch Kangas verkauft. Doch der erneut einsetzende Regen verspricht wenig Erfolg. Am Hotel angekommen, sehe ich sofort, dass sich die gegenüberliegende Seite ebenfalls völlig verändert hat. Mehrere Straßen führen in den Busch und im Hintergrund erblicke ich eine Schule. Wahrscheinlich gibt es das Kamau-Village, wo ich das letzte halbe Jahr in Kenia gelebt habe, auch nicht mehr. Diese Vermutung können wir jedoch nicht überprüfen, da die Wege in den Busch vom Regen zu sehr aufgeweicht sind. Wir betreten die Hotelanlage. Wenigstens diese hat sich kaum verändert, außer dass sie mit wesentlich weniger Touristen belegt ist.

Nach einer Kaffeepause scheint endlich die Sonne. Ich ziehe meine Sandalen aus und laufe barfuß am weißen Sandstrand entlang. Vereinzelte Strandverkäufer sprechen mich an, andere stellen ihre Bilder und Masken zum Verkauf auf. Ich entdecke meinen Lieblingsplatz am Strand. Dort saß ich nach dem ersten »missratenen« Kuss von Lketinga und drei Jahre später fast jeden Sonntag, während unsere kleine Tochter im Sand spielte. Hier saßen wir auch zusammen mit Papa Saguna, als er das erste Mal das Meer sah und ihm dabei vor Angst fast schlecht wurde. Ich lasse meinen Erinnerungen, Gefühlen und Gedanken freien Lauf, während meine Füße sich bei jedem Schritt in den Sand graben. Mir wird bewusst, wie stark meine Faszination für Kenia geblieben ist, am stärksten jedoch für den Teil des Landes, der am härtesten zu bewältigen ist – das Samburuland. Ich spüre aber auch, dass ich nicht mehr in Kenia leben wollte und könnte, weder im Samburuland noch hier an der Küste.

Es hält mich nichts mehr in Mombasa und ich bin froh, als wir zum Flughafen fahren. Noch einmal benutze ich die Likoni-Fähre. Hier werde ich wohl immer weiche Knie bekommen, mit oder ohne Massai im Hintergrund! Hier überfielen mich Gefühle, die sich kaum erklären lassen, auch heute noch nicht. Dennoch kann ich aus tiefster Überzeugung sagen, dass ich nichts von dem, was ich gefühlt, gewagt und erlebt habe, bereue.

Ich bin glücklich, dass ich eine wunderbare afrikanische Familie habe, und ich habe es als großes Geschenk empfunden, nach vierzehn Jahren wieder so herzlich in ihrer Mitte aufgenommen worden zu sein.

Jetzt aber möchte ich nur noch nach Hause zu meiner Tochter. Eine große Sehnsucht überfällt mich, sie endlich wieder in die Arme zu schließen und ihr von ihrer afrikanischen Familie zu berichten.

Danksagung

Bei allen, die mir diese »Reise in die Vergangenheit« ermöglicht haben, möchte ich mich bedanken,

vor allem bei Lketinga, Mama, James und allen anderen Mitgliedern meiner wunderbaren afrikanischen Familie sowie den Einwohnern von Barsaloi, die mich mit großer Warmherzigkeit wieder in ihrer Mitte aufgenommen haben,

bei Pater Giuliani, der uns bewirtet und Einblick in die heutigen Probleme der Samburukultur gewährt hat,

bei den Mitarbeitern der Constantin Film, die mich hinter die Kulissen »meines« Films schauen ließen,

bei meinem Verleger Albert Völkmann, der mich als »väterlicher Freund« begleitet hat, und bei Klaus Kamphausen, der unsere Reise sachkundig vorbereitet und fotografisch und filmisch dokumentiert hat,

bei meinen Leserinnen und Lesern, die an meinem und dem Leben meiner afrikanischen Familie Anteil nehmen und mir damit Mut zu einem »Wiedersehen in Barsaloi« machten,

und nicht zuletzt bei Napirai, die mich trotz anfänglicher Bedenken verstanden hat und gehen ließ.

Spendenmöglichkeiten für Kenia

Seit etlichen Jahren unterstützen der A1 Verlag und ich meine kenianische Familie in Barsaloi. Dadurch konnte auch einigen in der Nachbarschaft lebenden Samburus geholfen werden. Es gibt aber immer noch sehr viel Armut in dieser Gegend im Norden Kenias.

Falls Leserinnen und Leser spenden möchten, kann ich nach sorgfältiger Prüfung folgende Spendenorganisation und Projekte empfehlen:

Eine-Welt-Verein Keniahilfe e. V.
Schwarzwaldstraße 80
77815 Bühl-Neusatz
keniahilfe@web.de

Dieser gemeinnützige Verein engagiert sich seit vielen Jahren vor allem im Norden Kenias mit ganz konkreten Hilfsprojekten vor Ort (Bildungsprojekte, Gesundheitsprojekte, Projekte zur Selbsthilfe – alles in enger Zusammenarbeit mit Verantwortlichen direkt vor Ort).

Jede Spende kommt voll und ganz den Projekten zugute, Verwaltungskosten werden im Gegensatz zu vielen anderen Hilfsorganisationen nicht abgezogen.

Stichwort: »Barsaloi«
Diese Spenden helfen konkret den vielen Samburu-Familien vor Ort, mit denen ich dort gelebt habe. Zum einen wird davon die örtliche Schule für Mädchen und Jungen unterstützt, zum anderen arme Menschen, die sich im Krankheitsfall selbst keine medizinische Versorgung leisten können.

Stichwort: »Sererit«
Alle, die mein erstes Buch »Die weiße Massai« gelesen haben, kennen Pater Giuliani. Ich schätze ihn sehr – nicht nur, weil ich ihm persönlich sehr viel verdanke, sondern vor allem wegen seines tatkräftigen und klugen Einsatzes für die Samburu in den abgeschiedenen Ndoto-Bergen. Mit den einfachsten Mitteln hat er dort die kleine Mission »Sererit« aufgebaut und hilft, wo immer es nötig und sinnvoll ist.

Wenn Sie sich für eines dieser Projekte einsetzen wollen, geben Sie dabei entweder das Projekt-Stichwort **Barsaloi** oder **Sererit** an. Wenn Sie beide Projekte unterstützen wollen, geben Sie einfach beide Stichworte an (Barsaloi/Sererit).

Bankverbindung:

Eine-Welt-Verein Keniahilfe e. V.
Sparkasse Bühl
Konto-Nummer: 49 007
Bankleitzahl: 662 514 34

Für Spenden aus der Schweiz, Österreich
oder sonstigem Ausland:
IBAN: DE 82662514340000049007
BIC: SOLA DE S1 BHL

Der Eine-Welt-Verein Keniahilfe e. V. ist als gemeinnützig anerkannt und selbstverständlich erhalten Sie für Ihre Hilfe eine Spendenbescheinigung.